DÉFENSEURS DES DROITS HUMAINS

Amnesty International

Amnesty International est une ONG internationale formée de personnes, venues d'horizons très divers et réparties dans le monde, qui œuvrent pour le respect et la protection des droits internationalement reconnus de l'être humain.
Amnesty International mène de front sa mission de recherche et d'action dans le but de prévenir et de faire cesser les graves atteintes aux droits humains quels qu'ils soient, civils, politiques, sociaux, culturels ou économiques.
Amnesty International compte 2,2 millions de membres et de sympathisants dans plus de 150 pays et territoires. Essentiellement financée par ses membres et par les dons de particuliers, elle est indépendante de tout gouvernement, de toute tendance politique, de toute puissance économique et de toute croyance religieuse. Pour mener à bien ses recherches et ses campagnes, elle ne cherche à obtenir ni n'accepte aucune subvention d'aucun gouvernement.

www.amnesty.fr

Conception et coordination : Pauline David, Hélène Desodt, Marie-Pierre Lajot et Stéphanie Vernet.

DÉFENSEURS DES DROITS HUMAINS

Amnesty International

Préface de Stéphane Hessel

Photographies de Christian Courrèges

ÉDITIONS AUTREMENT

SOMMAIRE

PRÉFACE
PAR STÉPHANE HESSEL[1]

Comme nous étions fiers, il y a soixante ans, de faire adopter à la cinquan-taine d'États alors membres de l'Organisation des Nations unies (ONU), jeune et ambitieuse organisation, une déclaration sur le thème, jamais abordé à ce niveau, des droits humains ! Échappé trois ans avant du camp de Buchenwald, j'ai eu la chance de rejoindre les rédacteurs et de prendre part à l'élaboration d'un texte fondamental et fondateur : la Déclaration universelle des droits de l'homme. La journée de son adoption à Paris, le 10 décembre 1948, reste le jour le plus enthou-siasmant de ma carrière. Alors qu'ils venaient d'être foulés au pied dans un conflit abominable, les libertés fondamentales et les droits civils, politiques, économiques et sociaux étaient réaffirmés avec d'autant plus de force que les États prenaient ensemble l'engagement de les respecter et de les faire respecter partout et pour tous.

Nous n'étions cependant pas naïfs ! Nous connaissions les débats qui avaient précédé l'adoption de ce texte. Nous savions qu'il faudrait adjoindre à cette décla-ration des textes juridiquement contraignants qui s'appliqueraient progressivement

—
1. Vous retrouverez la biographie de Stéphane Hessel p. 155.

à tous les États membres des Nations unies. Nous avions aussi la conviction qu'il faudrait que des instances juridictionnelles soient créées pour en assurer la mise en œuvre. Enfin, nous n'avions pas de doute sur le fait que les gouvernements de ces États membres n'hésiteraient pas à violer les droits et à restreindre les libertés sitôt que se relâcherait sur eux la pression ardente des citoyens.

Cette mobilisation et cette vigilance de la société civile, nous les avons encouragées autant que nous les avons soutenues. Très vite, elles se sont révélées essentielles à la défense des droits de l'homme

Soixante ans après l'adoption de la Déclaration universelle des droits de l'homme, la mise en place d'un système de protection et de garanties de ces droits a progressé. L'adoption, en 1966, de deux pactes internationaux, l'un relatif aux droits civils et politiques et l'autre aux droits économiques, sociaux et culturels, y concourt. Mais leur mise en œuvre n'est pas au rendez-vous ou reste bien parcellaire. Dans un tel contexte, les pressions des organisations citoyennes du monde entier sont indispensables pour que progresse le champ d'application des droits humains.

Il est à ce titre salutaire que les rédacteurs de la Charte des Nations unies aient prévu un statut consultatif pour les ONG, ces lieux où se déploie l'énergie civique. C'est là que continuent de vibrer et de résonner la volonté libératrice et l'engagement fondamental, qu'aucun échec n'est parvenu à briser. Cet élan nourrit et se nourrit de chaque avancée du droit international.

Parmi elles, j'en retiens deux : l'adoption, en juillet 1998, du Statut de Rome instituant la Cour pénale internationale (CPI), à même de faire trembler les dictateurs les plus sanglants. Sa création porte en elle la promesse fondamentale que les auteurs des violations les plus graves des droits humains ne peuvent plus se sentir à l'abri.

Quelques mois plus tard, le 9 décembre 1998, les Nations unies adoptaient à Paris la Déclaration sur le droit et la responsabilité des individus, groupes et organes de la société de promouvoir et protéger les droits de l'homme. Un texte dont les termes traduisent et reflètent l'ampleur du champ couvert. Cette Déclaration reconnaît et souligne le rôle essentiel joué par toutes celles et ceux qui se lancent, avec détermination, dans le combat contre les violations des droits humains. Ces hommes et ces femmes qui, chaque jour, défendent les droits humains

et se battent pour faire entendre les voix des victimes, en particulier face aux systèmes censés les protéger.

Ils dénoncent avec courage ceux qui bafouent les droits de l'homme et osent s'élever contre des États, souvent puissants, qui souvent ne reculent devant rien pour les faire taire.

Ils concourent à faire des droits de l'homme une réalité pour tous et partout dans le monde.

Plus que les dignes héritiers des rédacteurs de la Déclaration universelle des droits de l'homme, ils sont aujourd'hui ses sentinelles.

Paris, juillet 2008.

Stéphane Hessel, ambassadeur de France.

CHAPITRE 1

LA NAISSANCE D'UN CONCEPT
PAR MICHEL FORST[1]

« Aujourd'hui devrait être un jour de honte pour nombre de gouvernements »,
rappelait Pierre Sané, secrétaire général d'Amnesty International, le 10 décembre
1998 à l'occasion des célébrations du 50e anniversaire de la Déclaration universelle des droits de l'homme (DUDH). « Il y a de quoi avoir honte, en effet, lorsqu'on voit que cinquante ans après l'adoption de la Déclaration universelle des
droits de l'homme dans un esprit d'idéalisme et d'engagement en faveur d'un monde
meilleur, des centaines de millions d'êtres humains souffrent de la pauvreté, tan-
dis que la torture, les "disparitions", les procès inéquitables et les exécutions illégales continuent. Alors que de nombreux dirigeants nationaux vont exprimer de
nouveau, à l'occasion de cet anniversaire historique, leur volonté de protéger les
droits humains, Amnesty International s'apprête à brandir un miroir où tous pourront voir clairement que la réalité est bien éloignée du monde prévu par la Déclaration universelle des droits de l'homme. Au-delà de la rhétorique, il faut voir les
choses comme elles sont. Le rapport annuel d'Amnesty International, dans son
édition de 1998, expose la situation, faits à l'appui. Il y a dans le monde au moins

—

1. Vous retrouverez la biographie de Michel Forst p. 156.

1,3 milliard de personnes qui vivent avec moins d'un dollar par jour, 117 États qui torturent leurs citoyens, 55 États – au moins – qui les exécutent hors de toute légalité, 87 – au moins – qui incarcèrent des personnes pour raison d'opinion, 31 – au moins – qui font "disparaître" leurs citoyens, et 40 États – au moins – qui les exécutent. On a employé, à propos de la Déclaration universelle des droits de l'homme, les termes de "secret le mieux gardé du monde" et de "simple promesse de papier", mais depuis cinquante ans des dizaines de milliers de défenseurs des droits humains et d'organisations non gouvernementales s'efforcent de divulguer largement ce secret.»

Pourtant, ce n'est qu'au début des années 1980, soit plus de trente ans après l'adoption de la DUDH, qu'est formulée l'idée selon laquelle il est indispensable, pour renforcer la défense des droits de l'homme, de se préoccuper des menaces et du traitement subis par ceux qui s'engagent pour eux. Nombreux étaient alors les témoignages reçus par Amnesty International et par les autres ONG internationales faisant état de menaces, d'attaques, d'arrestations, d'assassinats, de disparitions dont étaient victimes les avocats, les journalistes, les magistrats, les représentants de la société civile, les syndicalistes, les médecins.

Tous les jours, partout dans le monde, des femmes et des hommes étaient ainsi arrêtés, torturés, mis à mort, bâillonnés, empêchés de se réunir, réprimés lorsqu'ils manifestaient pacifiquement. Certains avaient déjà été assimilés à des terroristes, assimilation promise à un brillant avenir. La presse qui relayait leurs activités était bien souvent muselée, placée sous écoute, quand elle n'était pas sous le contrôle direct de l'État.

Tous les jours pourtant, des femmes se levaient pour manifester et demander où étaient passés leurs frères, leur époux ou leurs fils. Tous les jours pourtant, et malgré la répression qui s'abattait sur eux ou sur leurs familles, des femmes et des hommes se réunissaient pour promouvoir les droits de l'homme et les libertés fondamentales, poussés par une incoercible force de conviction et un courage magnifique.

Ces femmes et ces hommes, combattants de la liberté, militants anonymes ou plus connus ont rejoint, en les défendant, les rangs des victimes des droits de l'homme. Beaucoup ont alors été adoptés par les groupes d'Amnesty International, cités dans les rapports des ONG, faisant l'objet de campagnes de pressions

diplomatiques, et leurs noms mentionnés lors de contacts de haut niveau avec les représentants des États.

Ainsi, la notion de victime de la défense des droits de l'homme a progressivement pris forme en étant incorporée dans les rapports d'Amnesty International, de la FIDH (Fédération internationale des droits de l'homme) et des autres ONG. Au-delà de cette prise en considération, les associations ont en particulier insisté sur la nécessité de formuler des lignes directrices et des recommandations pour accorder aux défenseurs des droits de l'homme une indispensable protection.

LA DÉCLARATION SUR LES DÉFENSEURS : UNE LENTE ET PATIENTE ÉLABORATION

Peu s'en souviennent aujourd'hui, et d'ailleurs, pour beaucoup de militants des droits de l'homme, il s'agit souvent d'une véritable découverte, mais c'est pourtant bien avant l'adoption de ladite Déclaration que la Commission des droits de l'homme des Nations unies s'est saisie du sujet. C'était en février 1980, soit plus de dix-huit ans avant l'adoption du texte final, en décembre 1998. Par une résolution, la Commission a alors appelé «tous les gouvernements à encourager et à soutenir les individus et organes de la société exerçant leurs droits et leur responsabilité de promouvoir l'observation effective des droits de l'homme[2], sous réserve de respect des articles 29 et 30 de la Déclaration universelle des droits de l'homme[3]». Un an plus tard, la même Commission ajoutait qu'elle déplorait, lorsque cela s'était produit, les traitements durs et punitifs infligés aux individus, groupes et organes de la société qui défendaient les droits de l'homme. Elle demandait alors à la Sous-Commission[4] de se saisir du sujet afin d'étudier toute mesure

—

2. Résolution 23 (XXXVI).
3. Article 29 : «L'individu a des devoirs envers la communauté dans laquelle seul le libre et plein développement de sa personnalité est possible. Dans l'exercice de ses droits et dans la jouissance de ses libertés, chacun n'est soumis qu'aux limitations établies par la loi exclusivement en vue d'assurer la reconnaissance et le respect des droits et libertés d'autrui et afin de satisfaire aux justes exigences de la morale, de l'ordre public et du bien-être général dans une société démocratique. Ces droits et libertés ne pourront, en aucun cas, s'exercer contrairement aux buts et aux principes des Nations unies.» Article 30 : «Aucune disposition de la présente Déclaration ne peut être interprétée comme impliquant pour un État, un groupement ou un individu un droit quelconque de se livrer à une activité ou d'accomplir un acte visant à la destruction des droits et libertés qui y sont énoncés.»
4. La Sous-Commission sur la prévention de la discrimination et la protection des minorités était un organe subordonné à la Commission des droits de l'homme. En 2006, la Commission des droits de l'homme a été remplacée par le Conseil des droits de l'homme et la Sous-Commission par le Comité consultatif.

souhaitable en la matière, sans oublier l'interdépendance entre les droits civils et politiques et les droits économiques, sociaux et culturels, montrant ainsi le poids qu'elle accordait déjà aux acteurs des droits économiques et sociaux.

En mars 1982, la Commission des droits de l'homme demandait ensuite au secrétaire général des Nations unies de présenter à la Sous-Commission des éléments permettant l'élaboration d'un ensemble de principes sur « le droit et la responsabilité des individus, groupes et organes de la société de promouvoir et de protéger les droits de l'homme et les libertés fondamentales ». Et un an plus tard, en 1983, Erica-Irene Daes[5] (Grèce) était chargée par la Sous-Commission de rédiger un projet d'ensemble de principes. Son rapport est resté connu sous le nom de « rapport Daes[6] ». Ce texte fondateur comprend 52 paragraphes dont certains sont des principes généraux, comme la reconnaissance de l'inhérente dignité des êtres humains ou de l'indivisibilité. D'autres présentent des droits spécifiques pour les individus et les groupes : autodétermination, droit à la vie ou à la santé. Un ensemble de paragraphes est consacré à la responsabilité qu'ont les individus, les groupes et les organes de la société de promouvoir et de protéger les droits de l'homme, de respecter les lois nationales dès lors qu'elles n'entrent pas en contradiction avec les normes internationales.

En 1985, la Commission des droits de l'homme décide finalement lors de sa 44ᵉ session[7] de mettre en place un groupe de travail pour rédiger une déclaration sur les défenseurs des droits de l'homme.

Il est intéressant de noter que ce groupe de travail, qui s'est mis en place en 1986 sous la présidence de Robert Robertson (Australie), comprenait 43 États membres de la Commission, 8 États non membres, l'Organisation internationale du travail (OIT) et 8 organisations non gouvernementales, dont Amnesty International et la Commission internationale des juristes (rejoints quelques années plus tard par le Service international pour les droits de l'homme et la FIDH).

La lecture des comptes rendus des travaux des premières réunions est passionnante. Le ton est d'emblée donné, et les affrontements, qui ont duré douze

---

5. Membre de la Sous-Commission, Erica-Irene Daes sera plus tard la présidente du groupe de travail des Nations unies sur les populations autochtones.

6. Son intitulé officiel est *Promotion, protection et restauration des droits de l'homme aux niveaux national, régional et international : ensemble de principes et de lignes directrices sur le droit et la responsabilité des individus, groupes et organes de la société de promouvoir et de protéger les droits de l'homme et les libertés fondamentales.*

7. Décision 1985/112 du 14 mars 1985.

ans, montrent les profondes divergences idéologiques qui traversaient alors la Commission des droits de l'homme. C'était bien avant l'effondrement du communisme, mais déjà au début de la perestroïka. Les prises de position de l'URSS, de la Biélorussie, de la RDA, de Cuba, de la Chine et de l'Algérie, partisans d'un affaiblissement du rôle des ONG au sein du système des Nations unies, s'opposaient aux tentatives de la Grande-Bretagne, de la Norvège, de la Suède et du Canada pour faire aboutir un texte permettant de conforter sur la scène internationale le rôle actif de la société civile[8]. L'un des débats les plus longs, et que l'on a retrouvé durant plusieurs années jusqu'à l'adoption finale du texte en 1998, portait sur la dangereuse tentative, emmenée par la RDA, la Bulgarie, le Sénégal ou d'autres pays de l'ancien bloc de l'Est, d'accoler une série de « devoirs » (*duties*) aux droits, à l'instar de ce qui figure dans la Charte africaine des droits de l'homme et des peuples[9]. On a curieusement retrouvé le même débat sur les droits et les devoirs dans la tentative conduite par le juge sud-africain Richard Goldstone et soutenue par plusieurs chefs d'État de présenter devant les Nations unies en 1998 une « Déclaration des devoirs et des responsabilités de l'homme », comme un texte devant compléter la Déclaration universelle des droits de l'homme.

Néanmoins, sous l'impulsion de son président, Robert Robertson (remplacé en 1993 par le Norvégien Jan Helgesen), le groupe de travail tente de surmonter les clivages idéologiques sans étouffer les débats. Il mène un travail méthodique pour arriver à élaborer un projet de texte qui ne dénature pas l'intention originelle : mieux assurer la protection des défenseurs des droits de l'homme. Mais une ligne de fracture subsiste continuellement entre les membres du groupe de travail, notamment entre ceux qui pensent qu'une Déclaration doit permettre à tous les individus de faire respecter leurs droits et de protéger les défenseurs des droits de l'homme et ceux qui pensent qu'elle doit permettre de mieux contrôler et encadrer l'action des défenseurs, dans une perspective limitative.

Dès le début des travaux, le projet de structure du document présenté par Robert Robertson est approuvé par les membres et progressivement fondu avec une proposition assez proche élaborée par le Canada et la Norvège (qui ont été ensuite parmi les plus ardents promoteurs du texte). Il est décidé que le texte devait

---

8. Ce débat continue aujourd'hui, notamment à l'OSCE (Organisation pour la sécurité et la coopération en Europe), où la Russie et la Biélorussie contestent la participation des ONG aux réunions statutaires.
9. Voir à cet égard les articles 17-29 de la Charte africaine des droits de l'homme et des peuples.

avoir quatre caractéristiques propres, qui auraient force de loi par la suite dans le déroulement des travaux :

1. Il devait être court, concis et pratique ;
2. Il ne devait pas tenter de créer de nouveaux droits et responsabilités, pas plus qu'il ne devait viser à interpréter des droits existants ;
3. Il devait renforcer les instruments internationaux existants ;
4. Il devait être limité au seul mandat lié à la protection des défenseurs.

En 1990, afin d'accélérer les travaux, un groupe de rédaction informel est chargé de se réunir régulièrement et de rédiger le projet de texte soumis aux discussions du groupe de travail. Cette méthode souple permet notamment au petit noyau d'ONG rassemblées autour du groupe de faire un important travail de rédaction alternative, de textes explicatifs, de réunions informelles avec les missions permanentes pour déjouer les pièges de certaines formulations et anticiper sur les débats à venir. Soulignons à cet égard le travail pédagogique important fourni à Genève par le Service international pour les droits de l'homme ainsi que par le bureau juridique d'Amnesty International. Son directeur, Nigel Rodley, rappelait en 1992 que « depuis l'inauguration du groupe de travail, il y a eu une tension constante entre ceux qui souhaitent que le nouvel instrument renforce les droits existants lorsqu'ils s'appliquent aux défenseurs des droits de l'homme et ceux qui cherchent à restreindre la liberté d'action des organisations non gouvernementales par des dispositions qui instaurent des devoirs et des limitations sur les individus et les groupes ».

En 1993, la conférence de Vienne sur les droits de l'homme, chargée d'examiner les progrès réalisés depuis l'adoption de la Déclaration universelle des droits de l'homme, ne manque pas de demander « que soit rapidement achevé et adopté le projet de déclaration sur le droit et la responsabilité des individus, groupes et organes de la société de promouvoir et de protéger les droits de l'homme et les libertés fondamentales universellement reconnus [10] ».

Ainsi, année après année, le groupe de rédaction informel, puis la Commission des droits de l'homme reprennent les discussions, font avancer le texte, laissant

—
10. A/CONF.157/23, 12 juillet 1993.

provisoirement de côté certains des points les plus controversés pour les traiter ultérieurement. Il faut à cet égard souligner le rôle crucial joué par Jan Helgesen, qui a su négocier avec talent des compromis indispensables pour faire avancer le projet de Déclaration en cédant sur des points parfois accessoires pour ne pas abandonner les articles les plus importants du texte.

Article après article, chapitre après chapitre, le texte est alors balayé en plusieurs étapes jusqu'en 1997.

En février 1997, grâce à l'opiniâtreté de Jan Helgesen et à la volonté de quelques États, un texte est présenté au groupe de travail et approuvé. Pour bon nombre d'États et d'ONG, il est alors considéré comme un texte de compromis, un seuil au-dessous duquel il était impossible de descendre sans remettre en cause l'intention de départ. Il restait cependant encore quatre sujets majeurs à trancher : le financement des organisations non gouvernementales, le droit d'assister aux procès, le statut des législations nationales et l'éternelle question des droits et des devoirs.

La lecture des notes et les souvenirs des participants à cette dernière session du groupe de travail font état d'importantes tensions et de fermes prises de parole entre les partisans et les opposants au compromis.

À la veille du 50ᵉ anniversaire de la Déclaration universelle des droits de l'homme, chacun avait donc en tête des objectifs différents. Une poignée d'États voulaient prolonger les discussions, voire revenir sur des points déjà arbitrés, laisser passer l'année du 50ᵉ anniversaire de la DUDH et désolidariser les deux démarches. D'autres, en bien plus grand nombre, pensaient qu'adopter le texte cette année-là précisément était le meilleur moyen pour envoyer un signal fort à la communauté internationale sur la protection des défenseurs des droits de l'homme.

C'est dans cet esprit que Jan Helgesen se présente devant la Commission des droits de l'homme le 16 avril 1997, regrettant de ne pas être en mesure de présenter un texte consolidé mais confiant sur l'issue probable des dernières négociations. Alors que le Chili propose de raccourcir le texte pour en faire une « Déclaration sur les droits des défenseurs des droits de l'homme », l'Union européenne, Madagascar, la Pologne et bien d'autres acceptent le texte et s'accordent sur la nécessité de voir la Déclaration adoptée dès 1998. Le délégué suisse déclare : « Au-delà de l'information qu'ils sont souvent les seuls à nous donner sur la situation des

droits de l'homme dans le monde, les défenseurs jouent un rôle important dans l'enseignement et la diffusion des droits et des libertés fondamentales. Comme les organisations non gouvernementales, les syndicats, les Églises, les journalistes et les avocats, ils sont un ingrédient indispensable de la démocratie.»

Au même moment, les ONG présentent un texte solennel, saluant le travail de Jan Helgesen, réaffirmant que «le texte [...] constitue à leurs yeux le strict minimum de ce qui peut être accepté» et proposent déjà la création d'un rapporteur spécial sur les défenseurs des droits de l'homme. La Commission des droits de l'homme adopte alors une résolution demandant au groupe de travail de soumettre le projet finalisé à la prochaine session de la Commission, consciente de l'impact de l'adoption de cette déclaration dans le contexte du 50e anniversaire de la Déclaration universelle des droits de l'homme[11].

Jan Helgesen fait alors le forcing, accompagné par un groupe de diplomates sollicités pour lever les derniers obstacles et faire passer sans vote à la Commission des droits de l'homme le 3 avril 1998 une résolution qui adopte le projet de déclaration sur le droit et la responsabilité des individus, groupes et organes de la société de promouvoir et de protéger les droits de l'homme et les libertés fondamentales universellement reconnus[12] et demande à l'ECOSOC[13] de l'adopter aussi.

Le 9 décembre 1998, la veille du 50e anniversaire de la DUDH, l'assemblée générale des Nations unies adopte à son tour, de manière solennelle, une résolution[14]:

«Réaffirmant l'importance que revêt la réalisation des buts et principes énoncés dans la Charte des Nations unies pour la promotion et la protection de tous les droits de l'homme et de toutes les libertés fondamentales pour tous, dans tous les pays du monde. [...]

Consciente de l'importance que revêt l'adoption du projet de déclaration dans le contexte du cinquantenaire de la Déclaration universelle des droits de l'homme.

1. Adopte la Déclaration sur le droit et la responsabilité des individus, groupes et organes de la société de promouvoir et protéger les droits de l'homme et les

—

11. Résolution 1997/70.
12. Résolution 1998/7 de la Commission des droits de l'homme.
13. Conseil économique et social des Nations unies, instance chargée du dialogue avec les ONG qui maintient ainsi le lien indispensable entre les Nations unies et la société civile.
14. Résolution de l'assemblée générale 53/144.

libertés fondamentales universellement reconnus qui figure en annexe à la présente résolution ;

2. Invite les gouvernements, les organes et organismes des Nations unies et les organisations intergouvernementales et non gouvernementales à intensifier leurs efforts en vue de diffuser la Déclaration et d'en promouvoir le respect et la compréhension sur une base universelle, et prie le secrétaire général de faire figurer le texte de la Déclaration dans la prochaine édition de la publication *Droits de l'homme. Recueil d'instruments internationaux* [15]. »

LA PORTÉE D'UN TEXTE

Cette résolution est suivie d'une résolution complémentaire le 8 mars 1999 à l'assemblée générale des Nations unies, qui donne enfin une existence officielle à ce concept de défenseur des droits de l'homme.

L'adoption de ce texte donne lieu à des mouvements de liesse dans l'ensemble du monde. La presse salue cette initiative majeure, tout en soulignant les lacunes du texte et les défis à relever pour assurer une protection effective aux défenseurs des droits de l'homme. Pour beaucoup d'ONG internationales, on reconnaît ici que non seulement le travail de la société civile est important, ce que ne cessaient de répéter les organes spécialisés des Nations unies, mais aussi que la protection de cette société civile relève de la responsabilité des États. L'aboutissement de ce long processus est certainement à mettre au crédit de certains États, telle que la Norvège, qui ont porté le processus jusqu'à son terme. Le contexte de la chute du mur de Berlin et surtout le formidable élan du 50ᵉ anniversaire de la Déclaration universelle des droits de l'homme ont aussi certainement largement contribué à l'adoption de ce texte majeur, malgré des réticences ouvertement formulées.

« Ce fut la première fois », écrit Antoine Bernard, de la FIDH, dans le rapport de l'Observatoire pour la protection des défenseurs des droits de l'homme, « qu'un groupe d'États exposait aussi ouvertement un credo on ne peut plus clair :

—

15. Le texte de la Déclaration dite ci-après Déclaration sur les défenseurs des droits de l'homme est reproduit en annexe de l'ouvrage, p. 141.

protéger les États contre les défenseurs des droits de l'homme, et non les défenseurs contre l'arbitraire de l'État.»

Si cette norme est imparfaite et incomplète, les États membres des Nations unies ont reconnu en l'adoptant que les idéaux inscrits dans la DUDH ne pouvaient être concrétisés que si chacun participait à leur mise en œuvre et si les personnes travaillant à la promotion de ces idéaux ne se heurtaient plus à des manœuvres d'intimidation ou des menaces, à des ingérences ou à d'autres obstacles.

Les gouvernements ont également reconnu que le travail des défenseurs des droits de l'homme, qui consiste à observer et surveiller la situation et à faire des propositions pour l'améliorer, était compatible avec les obligations des États, qui doivent se conformer aux droits et normes nationaux et internationaux relatifs aux droits humains. Le travail des défenseurs contribue en outre considérablement au respect de ces obligations.

La Déclaration sur les défenseurs des droits de l'homme exige des gouvernements qu'ils protègent les droits essentiels des militants : droit à la liberté d'expression, droit de se réunir pacifiquement, d'entreprendre des actions collectives et de demander des changements de manière non violente, ainsi que le droit de recevoir et de diffuser des informations, et de communiquer avec des organisations nationales et internationales.

Si ces droits sont bafoués, les défenseurs ont le droit d'adresser une plainte à une autorité indépendante, impartiale et compétente judiciaire ou autre et, si la violation est avérée, d'obtenir réparation.

Selon la Déclaration, les gouvernements doivent par ailleurs jouer un rôle de promotion des droits fondamentaux, qui passe notamment par :

– la diffusion d'informations relatives aux droits humains ;
– l'éducation aux droits humains ;
– la création d'institutions nationales de défense des droits humains.

La Commission des droits de l'homme prie les gouvernements d'appliquer la Déclaration sur les défenseurs des droits de l'homme et de produire des rapports sur les mesures prises à cette fin. Elle demande également à tous les organes et mécanismes des Nations unies qui s'occupent des droits humains de prendre en compte les dispositions de ce texte.

LE SOMMET DES DÉFENSEURS DE PARIS, PALAIS DE CHAILLOT (8-11 DÉCEMBRE 1998)

C'est véritablement lors de l'organisation de la campagne internationale d'Amnesty International destinée à préparer le 50ᵉ anniversaire de la Déclaration universelle des droits de l'homme qu'est apparue la nécessité de forcer le sort et de marquer par un événement fort l'opinion publique internationale, les gouvernements et les Nations unies. Lors d'une des réunions des directeurs de section d'Amnesty International en mars 1997, Pierre Sané, alors secrétaire général d'Amnesty International, et moi-même, alors directeur d'Amnesty International, en France, avons proposé au mouvement de tenir à Paris, au palais de Chaillot, le premier sommet mondial des défenseurs des droits de l'homme, le 10 décembre 1998, pour célébrer d'une autre manière ce 50ᵉ anniversaire. Pour montrer au monde ce qu'était la réalité de terreur, d'oppression et de misère dans laquelle vivaient ceux qui défendaient les droits de l'homme. Loin de faire l'unanimité, cette proposition a été discutée, mise en question et a provoqué des débats mouvementés en décembre 1997 à Cape Town, en Afrique du Sud, lors de la réunion du conseil international qui rassemble l'ensemble des sections d'Amnesty International et qui décide des orientations du mouvement. Il a fallu batailler, recueillir le soutien des sections les unes après les autres pour faire passer une résolution présentée par la section française d'Amnesty International sur les défenseurs des droits de l'homme. Dès la fin de l'année 1997, une coalition d'ONG en France, baptisée « Article premier » et qui a conduit, avec le label « Grande Cause nationale 1998 », toute une série d'activités sur les droits de l'homme dans le monde, a été constituée. Parallèlement, la FIDH, ATD Quart Monde et France Libertés ont rejoint Amnesty dans la préparation des premiers états généraux des défenseurs des droits de l'homme.

Ces premiers états généraux des défenseurs des droits de l'homme, qui se sont tenus à Paris au palais de Chaillot, ont été l'un des éléments de la dynamique

internationale qui a créé une vaste coalition internationale autour de l'idée que la meilleure manière de protéger les droits de l'homme, c'est d'assurer la protection de celles et ceux qui les défendent quotidiennement dans leur pays, souvent au péril de leur vie. Ce premier rassemblement de 350 militants de terrain en provenance de plus de 110 pays, qui ont pu pour la première fois témoigner les uns devant les autres de la peur qui les habite, des menaces d'arrestation, de torture ou de condamnation qui rendent leur combat si difficile, aura marqué les esprits. Cette rencontre avait été soigneusement préparée par des réunions régionales en Afrique, en Asie et en Amérique latine, réunions durant lesquelles avaient été rassemblés dans un «cahier de doléances» des témoignages, mais aussi des propositions permettant d'assurer la protection des défenseurs. Parmi ces recommandations figurait en bonne place une meilleure utilisation des mécanismes de protection des Nations unies, peu connus et mal utilisés par beaucoup des défenseurs, mais aussi la mise en place d'un mécanisme permettant de prendre en compte la spécificité et les méthodes de travail des défenseurs des droits de l'homme.

La liesse s'est emparée de la grande salle du palais de Chaillot lorsque a été rendue publique l'adoption par l'assemblée générale des Nations unies de la Déclaration sur les défenseurs des droits de l'homme. Les 350 défenseurs des droits de l'homme présents, les invités, la presse et les diplomates ont immédiatement fait le rapprochement avec la décision prise par Jack Straw, ministre britannique des Affaires étrangères, de laisser la demande d'extradition de Pinochet vers l'Espagne suivre son cours. Nous avions ainsi dans le même temps la reconnaissance des Nations unies du travail des défenseurs des droits de l'homme et la perspective de la traduction en justice de celui qui illustrait la répression contre les militants.

LES DISPOSITIFS RÉGIONAUX

Si cette Déclaration des Nations unies sur les défenseurs des droits de l'homme n'a pas la valeur d'un texte contraignant sur le plan juridique, elle a néanmoins permis de construire progressivement le socle sur lequel se sont ancrés des mécanismes plus institutionnels, d'abord au sein même des Nations unies, puis dans les systèmes régionaux intergouvernementaux.

En Afrique. Le 16 avril 1999, la première conférence ministérielle de l'Organisation de l'unité africaine sur les droits de l'homme adopte la Déclaration de Maurice, qui souligne le rôle des organisations non gouvernementales dans la promotion des droits fondamentaux et recommande d'encourager leur action. Elle note par ailleurs dans son article 19 que «l'adoption de la Déclaration des Nations unies sur la protection des défenseurs des droits de l'homme par la 54e session de la Commission des Nations unies sur les droits de l'homme marque un tournant important, et lance un appel aux gouvernements africains afin qu'ils prennent les mesures appropriées pour mettre en œuvre cette Déclaration en Afrique». Mais ce n'est pourtant que plus tard, en 2004, que la Commission africaine des droits de l'homme et des peuples adopte la Résolution sur les défenseurs des droits de l'homme en Afrique, qui demande aux États membres de donner «tout son effet à la Déclaration des Nations unies sur les défenseurs des droits de l'homme».

En Amérique. Le 7 juin 1999, l'assemblée générale de l'Organisation des États américains a adopté une résolution sur les défenseurs des droits de l'homme en Amérique. Elle adopte ensuite chaque année une résolution sur le même thème, marquant ainsi son attachement à la protection des défenseurs des droits de l'homme.

En Europe. L'Union européenne a adopté le 15 juin 2004 des lignes directrices sur les défenseurs des droits de l'homme, demandant à tous ses membres d'harmoniser leurs pratiques et leurs politiques pour assurer une protection effective aux défenseurs menacés. Rappelant que «le soutien des défenseurs des droits de l'homme fait, de longue date, partie intégrante de la politique extérieure de l'Union européenne en matière de droits de l'homme [...] les défenseurs des droits de l'homme peuvent aider les gouvernements à promouvoir et à protéger les droits de l'homme. En participant aux processus de consultation, ils peuvent contribuer de manière significative à l'élaboration de la législation correspondante et à la

définition de stratégies et de programmes nationaux en matière de droits de l'homme. Il convient également de reconnaître et de soutenir ce rôle. L'UE estime qu'il importe de veiller à la sécurité des défenseurs des droits de l'homme et de protéger leurs droits.»

L'Union européenne (UE) s'est ainsi publiquement engagée à protéger les défenseurs des droits humains. Ces lignes directrices, dites «orientations de l'Union européenne concernant les défenseurs des droits de l'homme», mettent en place un cadre pour les activités de soutien et de protection des défenseurs des droits humains entreprises par des États de l'UE dans des pays tiers. Ces activités peuvent prendre la forme d'un soutien du travail des militants lors de réunions multilatérales, d'interventions en faveur des militants menacés et du soutien des mécanismes internationaux et régionaux de protection des droits des défenseurs des droits humains. L'UE a lancé des campagnes mondiales sur des questions relatives aux défenseurs des droits humains, telles que le droit à la liberté d'expression et les femmes défenseurs des droits humains. Elles demandent aux ambassades des pays membres de l'UE de s'ouvrir aux défenseurs, de soutenir leur travail et de participer aux réunions qu'elles organisent dans le cadre de leurs activités.

En Asie. Les signataires de la charte de l'Association des nations de l'Asie du Sud-Est (Anase) ont exprimé, en novembre 2007, leur engagement à instaurer un organisme régional de défense des droits humains. Un groupe d'experts a été désigné pour rédiger une version préliminaire du mandat de cet organisme. Amnesty International et des organisations régionales de la société civile mènent un travail de campagnes pour que soit formé un organisme de défense des droits humains fort, professionnel et représentatif, capable de faire appliquer les normes internationales.

L'ADOPTION DE MÉCANISMES COMPLÉMENTAIRES OU CONTRAIGNANTS

Au-delà de textes déclaratoires, sans véritable force contraignante, les principales ONG internationales n'ont ensuite cessé de plaider pour la mise en place d'un véritable mécanisme afin d'assurer une protection plus effective des défen-

seurs des droits de l'homme dans le monde. Leur patient travail a abouti, le 26 avril 2000, à la création par la Commission des droits de l'homme des Nations unies d'un poste de représentant spécial (désormais rapporteur spécial [16]) du secrétaire général chargé de la protection des défenseurs des droits de l'homme, nommé pour trois ans par le secrétaire général des Nations unies. C'est une avocate pakistanaise à la Cour suprême, Hina Jilani (voir page 132), qui, à compter du mois d'août 2000, a occupé cette fonction pendant deux mandats successifs jusqu'en 2008. Dès sa prise de fonction, face à la multiplication des demandes d'intervention, Hina Jilani n'a cessé de plaider pour la complémentarité entre les mécanismes régionaux et sa propre fonction et pour la mise en place de rapporteurs régionaux dans toutes les organisations intergouvernementales régionales.

Avocate déterminée de la cause des défenseurs des droits de l'homme, cofondatrice de la Commission pakistanaise des droits de l'homme, Hina Jilani travaille étroitement avec les principales organisations non gouvernementales engagées dans le soutien aux défenseurs des droits de l'homme, Amnesty International, la FIDH, le Service international pour les droits de l'homme à Genève, Front Line, la Commission internationale des juristes. Elle bénéficie et assure auprès d'eux un fort soutien politique et technique [17], complété par un soutien diplomatique important de la part de quelques gouvernements. La grande réussite de Hina Jilani, au-delà de la reconnaissance internationale qu'elle a acquise dans le monde, aura été de positionner le mandat qui lui a été confié par le secrétaire général des Nations unies à un haut niveau d'exigences, traçant ainsi la route pour son successeur, Margaret Sekaggya.

En 2001, le secrétaire exécutif de la Commission interaméricaine a décidé de créer une «unité fonctionnelle sur les défenseurs des droits de l'homme», qui assure une véritable liaison avec les organisations, les individus et les groupes et leur fournit de l'information. Elle permet également une coordination avec la rapporteure du secrétaire général des Nations unies pour les défenseurs.

La Commission africaine des droits de l'homme et des peuples a créé à son tour en 2004 un mandat de rapporteur spécial pour les défenseurs des droits de l'homme,

—

16. Nous avons adopté dans les lignes qui suivent la dénomination «rapporteur», l'intitulé de la fonction ayant changé en 2008. (NdE)

17. Ces ONG ne ménageront jamais leur soutien à Hina Jilani, mettant du personnel bénévolement à son service, facilitant ses déplacements par des invitations nombreuses à des réunions et relayant ses prises de position et interventions.

chargé d'examiner la situation des défenseurs, de publier des rapports à chaque session de la Commission, de coopérer avec les gouvernements, les institutions nationales et les ONG et de promouvoir la cause des défenseurs en Afrique.

Enfin, c'est au tour des organisations régionales européennes, notamment le Conseil de l'Europe et l'OSCE, de convoquer une série de consultations pour mettre en place un mécanisme européen de protection des défenseurs des droits de l'homme. Et, dès l'année 2006, l'OSCE ouvre à Varsovie une unité de liaison avec les défenseurs et le Comité des ministres du Conseil de l'Europe, confirmant l'autorité et la capacité du commissaire aux Droits de l'homme à agir et à mettre en place, au sein même de son cabinet, une unité de liaison fonctionnelle avec les défenseurs.

De leur côté, les ONG ne restent pas non plus inactives et, sur les cinq continents, les grandes ONG internationales, telles qu'Amnesty International, la FIDH avec l'Observatoire pour la protection des défenseurs, son programme conjoint avec l'Organisation mondiale de lutte contre la torture (OMCT), la Commission internationale des juristes, les Franciscans International, le Service international, ne cessent de multiplier les programmes de protection, largement soutenus par la presse et les réseaux spécialisés [18].

Cette multiplication de déclarations et de mécanismes de protection ne fait que souligner l'importance de ces femmes et ces hommes qui, sur les cinq continents, seuls ou en association, s'engagent pour que les idéaux de la Déclaration universelle des droits de l'homme deviennent une réalité pour tous partout dans le monde.

Ces hommes et ces femmes qui dénoncent sans relâche les violations des droits humains quels qu'en soient les auteurs font prendre conscience à la population qu'elle a des droits qui doivent être respectés. Leur courageux travail pour le respect des droits fondamentaux fait encore et toujours des défenseurs une cible privilégiée des États répressifs, des groupes d'opposition armée, des escadrons de la mort, voire des groupes d'intérêts privés. Les formes de répression sont de plus en plus variées. Elles changent selon les pays. Elles peuvent être visibles et violentes ou insidieuses et pernicieuses.

—

18. Les annexes présentent les principales ONG qui disposent de programme dédié à la protection des défenseurs.

Le prochain chapitre – et les vingt portraits de ce livre – donne à voir les parcours de ces hommes et de ces femmes qui, dans leur diversité, sont unis autour d'un même objectif : la défense de la dignité humaine.

Dix ans après l'adoption, au terme d'un long combat, de la Déclaration sur les défenseurs des droits de l'homme et au moment où est célébré le 60e anniversaire de la Déclaration universelle des droits de l'homme, il nous est apparu plus que nécessaire de leur rendre hommage.

Michel Forst, juillet 2008.

CHAPITRE 2

LE MONDE DES DÉFENSEURS

POUR UNE DÉFINITION

> « *Chacun a le droit, individuellement ou en association avec d'autres, de promouvoir la protection et la réalisation des droits de l'homme et des libertés fondamentales aux niveaux national et international.* »
> Article 1 de la Déclaration des Nations unies sur les défenseurs des droits de l'homme[1].

Même si elle n'est ni utilisée ni définie dans le corps du texte de la Déclaration sur les défenseurs des droits de l'homme, l'expression « défenseur des droits humains » a pourtant été, depuis l'adoption de ce texte en 1998, de plus en plus utilisée. Elle se comprend d'elle-même ; son caractère générique embrasse les très nombreuses réalités spécifiques et individuelles précisées dans la Déclaration. Bien que le texte de la Déclaration et le travail mené sur cette question par les organes des Nations unies, les ONG et d'autres institutions aient accru la visibilité des défenseurs, cette communauté reste difficile à cerner. Les lignes qui suivent sont cependant des repères pour comprendre ce qui définit et caractérise l'activité des défenseurs, et les vingt portraits de ce livre donnent, dans leur diversité, un visage à la défense des droits de l'homme.

Les défenseurs des droits humains, ou militants des droits humains, sont des personnes qui agissent de multiples manières et à des titres très variés, mais tous

—
1. Le titre officiel de cet instrument, adopté par l'assemblée générale des Nations unies au terme de la résolution 53/144 le 9 décembre 1998, est « Déclaration sur le droit et la responsabilité des individus, groupes et organes de la société de promouvoir et protéger les droits de l'homme et les libertés fondamentales universellement reconnus ». Le texte est reproduit en annexe de cet ouvrage, p. 141.

ont un rôle majeur dans les combats dans lesquels ils s'impliquent. La défense des droits humains commence très souvent à un niveau individuel. Les plus petites initiatives qui voient le jour localement peuvent ensuite avoir des répercussions internationales. Le fondateur de la banque Grameen, l'économiste Muhammad Yunus, Prix Nobel de la paix 2006, témoigne ainsi : « Je me suis engagé dans ce projet, car la pauvreté était omniprésente autour de moi ; il m'était impossible de détourner les yeux de ce problème[2]. » Le dispositif de microfinance qu'il a lancé, en prêtant de petites sommes d'argent aux plus pauvres, a permis à des personnes et populations marginalisées d'accéder à un large éventail de droits. Il a également permis de faire progresser au sein de la communauté internationale la notion d'indivisibilité des droits et l'idée selon laquelle la pauvreté constitue une violation des droits humains.

Tout le monde peut être un défenseur des droits humains, quel que soit le métier qu'il exerce. Ce qui le définit, c'est avant tout son action en faveur des droits de l'homme. Des avocats qui acceptent de défendre des opposants politiques, dénoncent les procès injustes, des journalistes qui se battent contre la censure et pour la liberté de la presse ; des syndicalistes qui luttent pour les droits des travailleurs, des médecins, des infirmiers qui soignent physiquement et psychologiquement les victimes des conflits, qui acceptent d'établir des certificats sur les séquelles des tortures ou des experts en développement font ainsi entrer la défense des droits de l'homme dans le cadre de leur métier. D'autres en font le cœur de leurs activités : ils luttent pour obtenir des informations sur le sort des « disparus » (voir le portrait de Nacéra Dutour p. 54), ils œuvrent pour les droits des communautés indigènes (voir le portrait de Peneas Lokbere p. 92), pour l'amélioration des conditions des prisonniers ; ils travaillent pour sauver les enfants des rues de la misère, de la drogue, de la prostitution (voir le portrait de Chantal Uwase p. 118). Des fonctionnaires, des policiers peuvent aussi être militants. Cette dernière précision va à l'encontre d'une des critiques les plus courantes des gouvernements qui réduisent les défenseurs au rang d'opposants politiques, voire de dissidents.

C'est l'engagement actif en faveur des droits humains et sa traduction en actions qui définissent en fait un défenseur, qu'il le soit à titre professionnel ou

—
2. http://nobelprize.org/nobel_prizes/peace/laureates/2006/yunus-lecture-en.html

non. Il est important de souligner que, dans de nombreux pays, les femmes défenseures doivent faire face à l'hostilité de certains membres de leur communauté, qui jugent leur engagement contraire au rôle traditionnellement dévolu aux femmes. Bien souvent, leur détermination force le respect.

Cet engagement peut se faire à titre individuel ou dans le cadre d'une structure. De manière générale, il y a toujours une certaine forme de collaboration avec d'autres militants, plus particulièrement dans le cadre de réseaux. En tissant des réseaux nationaux, régionaux et internationaux, les défenseurs peuvent capitaliser les informations qu'ils collectent sur des violences et en établir le caractère récurrent : cela donne ensuite plus de poids à leurs revendications. Ces réseaux permettent aussi d'échanger des savoir-faire, de mutualiser des actions de pression ou des campagnes de sensibilisation aux droits (comme le fait le Réseau des défenseurs des droits de l'homme en Afrique centrale, le Redhac). Ils peuvent aussi faciliter aux défenseurs isolés l'accès aux mécanismes régionaux et internationaux de protection. Enfin, ils servent souvent à asseoir la légitimité de ceux qui s'engagent sur des champs de travail inédits et sujets à polémiques ou qui sont l'objet de discriminations de la part des autorités.

L'engagement peut être limité dans le temps, notamment quand il est lié à un combat spécifique qui trouve une résolution. Mais rares sont ceux qui s'écartent de ce mouvement ; quand ils le font, comme Pedro Ruquoy en République dominicaine par exemple (voir son portrait p. 114), ils y sont souvent contraints pour des raisons de sécurité.

Il est évident que ceux qui font de leur engagement un métier développent au jour le jour de grandes compétences. Pour autant, la défense des droits fondamentaux n'a rien de nébuleux ; elle est accessible à tout un chacun, où qu'il se trouve. Chaque année, nombreux sont les nouveaux militants qui rejoignent les rangs des défenseurs. Certains formulent de nouvelles revendications ou remettent en cause les interprétations classiques des droits humains. Ce sont aussi ces militants qui soulèvent des questions nouvelles et apparemment lointaines mais qui ont un impact sur les droits de l'homme (changement climatique, biotechnologies…) et qui, demain, seront au cœur de la problématique des droits humains.

LA DIVERSITÉ DES DOMAINES D'INTERVENTION : LE CHAMP DES POSSIBLES

Les domaines d'action et d'intervention ne sont pas moins divers ou ambitieux. Ce qui réunit néanmoins tous ces défenseurs, c'est qu'ils travaillent pour le respect des droits énoncés dans la Déclaration universelle des droits de l'homme (DUDH), adoptée en 1948. Ce texte fondateur a donné naissance à une série de textes normatifs (conventions, déclarations, ensembles de principes et interprétations…) plus ou moins juridiquement contraignants selon les États qui les ont signés et/ou ratifiés. Ils forment un corpus qui fait autorité, un socle commun qui fonde et justifie le travail des militants des droits de l'homme.

Certains défenseurs travaillent donc pour l'ensemble des droits humains, et la DUDH est leur mandat. D'autres font de la défense des droits civils et politiques leur priorité (droit de ne pas être soumis à la torture, liberté d'expression, droit à un procès équitable…). De plus en plus, cet axe de travail s'articule avec la défense et la promotion des droits économiques, sociaux et culturels (Desc) ; du droit à l'éducation, à la santé physique et mentale ; du droit des peuples indigènes à disposer de leurs terres et de leurs ressources (voir le portrait de José Gualinga p. 58) ou des minorités linguistiques à recevoir une éducation dans leur propre langue…

Les interventions auprès des personnes défavorisées ou soumises à des discriminations sont aussi une manière de militer, que ce soit pour les populations autochtones, les femmes vivant dans les zones rurales ou encore les lesbiennes, les gays, les bisexuels et les transsexuels.

Même si leurs luttes sont variées, et si elles sont plus ou moins complémentaires, tous les défenseurs reconnaissent l'universalité de la Déclaration universelle des droits de l'homme. Et, même s'ils ne travaillent que sur un seul des aspects de ce texte, ils reconnaissent l'indivisibilité des droits humains. Ces hommes et ces femmes incarnent l'existence des principes fondamentaux énoncés dans ce texte. Ils partagent les mêmes idées et convictions, en un mot le même langage – si ce n'est la même langue – lorsqu'ils parlent droits humains. En prônant et en revendiquant l'application des normes internationales de libertés et droits fondamentaux, ils recourent à des moyens pacifiques. C'est là une autre des carac-

téristiques essentielles de leurs combats : quelles que soient les violences subies, quel que soit le climat dans lequel ils font valoir leurs droits, ils doivent le faire de manière pacifique. Plusieurs articles de la Déclaration sur les défenseurs le précisent d'ailleurs (articles 5 a et b, 12 al. 1 et 3, 13). En refusant d'utiliser les armes violentes trop souvent employées par ceux qui les oppriment, ils sont ainsi des artisans de paix...

DES CHAMPS D'INTERVENTION EN PERPÉTUELLE ÉVOLUTION

L'action et l'intervention dans la défense des droits humains sont des réponses aux besoins des victimes, aux violations des droits humains. Hier, la lutte contre l'esclavage ou le droit de vote pour les femmes constituaient des priorités ; aujourd'hui, des efforts importants sont faits contre la pauvreté et pour la reconnaissance pleine et entière des droits économiques, sociaux et culturels. Des activités sur les effets des changements climatiques ou les conséquences pour l'être humain des progrès de la biotechnique et de la génétique se développent de plus en plus et sont de plus en plus légitimes.

La question des droits humains n'est pas figée. Ses contours peuvent et doivent évoluer pour s'adapter aux nouveaux défis. Les droits humains sont énoncés, garantis et reconnus dans des normes juridiques internationales qui les codifient mais dont ils ne dérivent pas : ils proviennent de l'essence même de l'humain. Il y a donc un combat à mener chaque fois que la dignité humaine est bafouée, sous quelque forme que ce soit. Lorsque les moyens d'oppression se modifient, l'étendue des droits humains se modifie aussi. La nature et le contenu des droits humains sont toujours susceptibles d'être remis en cause.

Les défenseurs s'adaptent perpétuellement pour répondre aux moyens d'oppression qui se diversifient. Leur cadre de travail se développe sans cesse, souvent en lien avec les évolutions de la société, en fonction de l'acquisition de certains droits. L'immense diversité des mouvements sociaux qui, chaque jour, utilisent davantage la terminologie des droits fondamentaux pour formuler leurs revendications, et la véhémence avec laquelle ces demandes sont contestées et réprimées

témoignent par ailleurs du poids moral de la notion de droits humains, mais aussi de l'importance du combat à mener.

Ainsi, depuis quelques années, de nouvelles perspectives ont été ouvertes, et les défenseurs se battent pour que la protection promise par la Déclaration universelle des droits de l'homme soit étendue aux nouvelles menaces qui planent sur la dignité humaine. Incarnant une vision émancipatrice des droits humains, ils les ont fait pénétrer dans la sphère privée (la famille, le foyer) et dans celle de la collectivité, grâce à leur combat contre les violences faites aux femmes. Les défenseurs des droits des LGBT (lesbiennes, gays, bi- et transsexuels) se mobilisent également pour que la communauté internationale s'intéresse à ces questions et aux violations commises à travers le monde. Il est arrivé que des gouvernements empêchent délibérément les militants des droits des LGBT de participer à des forums internationaux de défense des droits humains. Ces rassemblements permettent aux militants de faire reconnaître les violations des droits des LGBT commises à travers le monde alors que certains États affirment que cela ne relève pas du travail des organes internationaux de protection des droits humains.

L'action des défenseurs commence toutefois à être reconnue et se reflète désormais dans les analyses des Nations unies (notamment dans celles du rapporteur spécial sur les défenseurs des droits de l'homme) ou des experts qui travaillent sur les questions comme la violence contre les femmes, le droit à la santé, la prévention de la torture ou les exécutions extrajudiciaires.

D'autres se sont mobilisés pour que l'accès universel à l'éducation primaire et aux traitements antirétroviraux deviennent des droits fondamentaux et ne soient pas considérés comme des services dépendant du développement économique ou de l'action caritative.

En réaction à l'impact croissant des activités des entreprises sur les droits humains, des stratégies ont également été mises en place pour exiger que les entreprises multinationales soient moralement et juridiquement comptables de leurs actions et omissions qui privent des hommes et des femmes de leurs droits fondamentaux. Elles ne sont pas liées par les traités internationaux relatifs aux droits humains, mais doivent au moins respecter l'ensemble des droits fondamentaux de la personne. De nombreux défenseurs se mobilisent pour que les entreprises

respectent des principes qui ne soient pas simplement volontaires, mais juridiquement contraignants.

La sensibilisation de l'opinion publique pour accroître la vigilance des citoyens sur les politiques et pratiques des entreprises est un levier majeur face aux groupes qui misent sur leur image internationale. Jouant ainsi sur la sensibilité de la filière du diamant quant à son image de marque, des ONG internationales, des gouvernements et des militants sont par exemple parvenus, dans le cadre du processus de Kimberley, à mettre en place des codes de conduite volontaires sur le commerce de diamants, de manière à éviter que ce dernier ne finance des conflits ou n'alimente les violations des droits humains.

Les militants se confrontent alors à de puissants intérêts économiques, ceux des entreprises auxquelles ils demandent des comptes et que beaucoup d'États protègent.

POUR LE DROIT DE VIVRE DANS LA DIGNITÉ : LES DROITS ÉCONOMIQUES, SOCIAUX ET CULTURELS (DESC)

Au même rang que les droits civils et politiques, les droits économiques, sociaux et culturels (Desc) figurent dans la Déclaration universelle des droits de l'homme. Ils ont toutefois largement fait les frais de la guerre froide. Ce n'est que dans les années 1990, à la suite de l'engagement de militants associatifs et d'autres acteurs de la société civile, qu'ils ont commencé à être véritablement reconnus. Partout dans le monde, des mouvements de défense des droits sociaux ont fait campagne pour dénoncer l'effet catastrophique, sur le plan social, des programmes d'ajustement structurel[3] sur les répercussions de la dette, sur la capa-

—
3. Les programmes d'ajustement structurel étaient des politiques que devaient suivre les pays pour avoir droit aux prêts de la Banque mondiale et du Fonds monétaire international (FMI). Les principes de la croissance stimulée par les exportations, de la privatisation et de la libéralisation y étaient intégrés. La Banque mondiale et le FMI ont depuis rebaptisé leurs mécanismes de prêt fondé sur l'ajustement structurel, et leur financement repose désormais sur les cadres stratégiques de lutte contre la pauvreté (CSLP), mais le fait que la Banque mondiale et le FMI continuent à pousser les pays bénéficiaires à libéraliser et déréglementer leurs échanges, et à privatiser les industries, reste préoccupant.

cité des pays en développement à satisfaire les besoins élémentaires de leur population et sur l'accroissement des inégalités dans de nombreux pays confrontés à la mondialisation économique. Même si les militants ont réussi à placer les questions de la pauvreté, de l'iniquité du commerce, de l'énormité de la dette et de l'insuffisance de l'aide au cœur du débat public dans leur pays et dans la communauté internationale, ils continuent de se confronter aux résistances des États ou de certains groupes de la société civile lorsqu'ils évoquent les droits en matière d'alimentation, de logement, de santé et d'éducation.

Par ailleurs, à l'échelon national comme international, les mécanismes juridiques permettant de demander réparation pour des violations des Desc restent très peu développés, notamment par rapport à ce qui existe pour les droits civils et politiques. Alors que cela fait des dizaines d'années que le comité des droits de l'homme des Nations unies peut être saisi par des particuliers au sujet de violations de droits civils et politiques, il n'existe toujours pas de mécanisme de plainte équivalent pour les violations du Pacte international relatif aux droits économiques, sociaux et culturels (Pidesc). Certains estiment même, au vu des difficultés rencontrées pour mettre en évidence les violations, pour établir les responsabilités et proposer des mesures de réparation et de prévention appropriées, que les Desc seraient plus difficiles à appliquer par le droit. Il est en effet souvent extrêmement complexe d'examiner des questions telles que la répartition des ressources nationales ou la politique macroéconomique internationale à travers le prisme des droits humains.

Les défenseurs des droits économiques et sociaux ont considérablement avancé ces dernières années. Grâce à leurs efforts, des parlements nationaux ont adopté des lois pour les reconnaître explicitement. Certaines décisions de justice ont marqué un tournant et constitué des victoires sans précédent : l'arrêt par lequel la Cour constitutionnelle d'Afrique du Sud a ordonné la délivrance de médicaments antirétroviraux dans les cas où ces traitements pouvaient éviter la transmission du VIH de la mère à l'enfant par exemple, ou l'arrêt rendu par la Cour suprême indienne selon lequel le droit à vivre dans la dignité exigeait que

chacun jouisse d'un accès équitable au logement et ait les moyens d'assurer sa subsistance, et qui affirmait que les expulsions forcées arbitraires allaient à l'encontre de ce principe[4] constituent des avancées considérables. Elles sont avant tout le résultat des luttes conduites sur le terrain par ceux qui se battent contre les abus des pouvoirs publics, des puissances industrielles ou des élites corrompues.

Les défenseurs des droits humains qui prennent en charge toutes ces questions habituellement négligées ou mises de côté se heurtent à de fortes réticences : ce n'est en général pas pour rien que ces domaines restent sujets à polémiques. Il est souvent dangereux de s'y atteler, car cela revient à remettre en cause des normes sociales dominantes, voire à toucher à un ordre politique, religieux ou économique établi.

De manière générale, ces militants qui permettent des avancées dans les droits humains sont souvent les plus exposés au danger, à la diffamation et à la résistance qui quoiqu'il en soit menace tous les défenseurs.

DES MODES D'ACTION À LA HAUTEUR DES AMBITIONS

Les manières de travailler et d'intervenir varient elles aussi considérablement selon les contextes politiques et sociaux, les cibles (gouvernements, groupes d'intérêts privés, groupes armés…), les droits défendus ou les objectifs poursuivis. Le travail d'information et de sensibilisation sur les droits défendus et sur les droits humains en général est le préalable à toute autre activité. Pour certains, ce travail est même essentiel. Souvent, il vise la « mise en capacité » de populations défavorisées à qui doivent être donnés les moyens de s'organiser et de faire reconnaître leurs droits. Dans ces situations, les défenseurs ont un rôle d'éclaireurs et de passeurs au sein de leurs communautés.

—

4. Cour constitutionnelle d'Afrique du Sud, *Treatment Action Campaign v. Minister of Health* ; Cour suprême indienne, *Olga Tellis*.

Les nouvelles technologies offrent aussi aux défenseurs des possibilités accrues de communiquer. Grâce à Internet, un problème local peut attirer le regard de la population mondiale en à peine quelques heures. Cependant, les possibilités sont encore très souvent limitées par des déficits technologiques qui restent des défis dans de nombreux pays confrontés à des coupures d'électricité fréquentes, si tant est que le réseau existe (voir par exemple le portrait de Baudouin Kipaka p. 74). Surtout, dans certains pays, les opportunités qu'offre Internet n'ont pas échappé aux États qui, avec l'aide de quelques-unes des plus grandes entreprises mondiales du secteur des technologies de l'information, mettent tout en œuvre pour restreindre la liberté d'expression. En Chine, au Vietnam, en Tunisie et ailleurs, des défenseurs des droits humains sont harcelés et placés en détention en raison de leur cybermilitantisme.

Pour défendre et faire valoir des droits qui ont été violés, la majorité des défenseurs tente de recourir aux procédures légales. Et même si cela reste difficile, parce que long et coûteux (les portraits de Peneas Lokbere, p. 92, et de Donny Reyes, p. 109, le montrent bien), ils sont de plus en plus nombreux à invoquer les principes de protection contenus dans les normes internationales relatives aux droits humains pour obtenir gain de cause devant les tribunaux d'un État. La justice internationale, qui progresse chaque jour, et les mécanismes régionaux devraient à terme permettre de plus en plus de combler les lacunes des juridictions nationales quand elles ne donnent pas aux victimes la possibilité d'obtenir réparation.

Dans certains cas pourtant, pour des raisons politiques ou pratiques, aucune poursuite pénale n'est envisageable. D'autres solutions peuvent alors émerger sous la pression de défenseurs. On peut par exemple penser à l'instauration de «commissions vérité», qui ont souvent pour mandat d'établir les responsabilités et d'apporter réparation et reconnaissance aux victimes. Ces commissions, malgré leurs faiblesses, permettent parfois de faire de grands pas vers la justice et la réconciliation et sont des symboles forts de la reconnaissance des épreuves subies par les victimes.

LES RISQUES ENCOURUS

« La répression que subissent les défenseurs des droits de l'homme est souvent le signe de violations plus générales de ces droits dans l'État concerné, et elle est en proportion directe de la gravité de ces violations. »
Hina Jilani (rapporteure spéciale du secrétaire général des Nations unies pour les défenseurs des droits de l'homme, 2004).

Les défenseurs menacés le sont parce qu'ils disent des vérités qui dérangent et que les gouvernements ou des groupes d'intérêts privés s'appliquent alors énergiquement à masquer. Parce qu'ils remettent en cause des *statu quo* et des intérêts, les militants sont rapidement catalogués comme des dissidents dangereux, ce qui facilite bien sûr la répression à leur encontre. Dans leur majorité, ils dénoncent le décalage entre les engagements théoriques des États, les belles déclarations de respect des droits des individus et la réalité quotidienne vécue par la population. Réalistes, ils sont en mesure d'apprécier le fossé, voire le gouffre, entre les droits effectivement consentis ou refusés aux personnes. Ils mettent publiquement à l'index ceux qui abusent de leurs pouvoirs et de leur autorité. Ils dénoncent les violations, les exposent au public et font pression pour que les responsables rendent des comptes. Ils donnent aux individus et aux populations les moyens de faire valoir leurs droits. Ils réfutent le caractère prétendument naturel ou immuable de tout ordre politique, social ou économique qui condamne des pans entiers de la population à vivre dans la misère, la peur et l'indignité.

Le rôle d'un défenseur des droits humains est toujours perçu comme subversif là où les droits humains ne sont en fait qu'une série d'engagements théoriques. Les risques sont plus ou moins grands selon les pays, les contextes, les époques. Il existe cependant des liens étroits entre les menaces qui pèsent sur les défenseurs et la situation de la société dans laquelle ils agissent. Plus la société est fermée, répressive, sécuritaire, plus les risques augmentent.

La répression peut être directe, ouverte et quotidienne : surveillance, écoutes téléphoniques, campagnes de discrédit menées par voie de presse (voir le portrait Chantal Uwase p. 118), cambriolages des locaux ou de matériels (voir le portrait de Radhia Nasraoui p. 100), intimidations, menaces de mort, mises en résidence surveillée, emprisonnements après des procès prétextes, tortures, « disparitions »,

assassinats politiques. La pratique des fausses accusations est de plus en plus fréquente dans les pays où les autorités cherchent à ternir l'image et à salir la réputation des défenseurs des droits humains en les présentant comme des criminels, des terroristes ou des délinquants. Dans certains cas, les accusations sont manifestement montées de toutes pièces. Dans d'autres, des activités légitimes comme l'appel à manifester ou le dépôt d'une plainte officielle sont qualifiées de troubles à l'ordre public ou d'actes diffamatoires.

La répression peut être plus insidieuse et sournoise, sans être moins violente : embûches administratives (refus d'enregistrement de l'organisation, imposition abusive de taxes ou d'amendes, interdiction de contrats de bail), perte ou limitations d'emploi, notamment dans l'administration publique, pour le défenseur ou un membre de sa famille, actions intentées en justice sous prétexte de trouble à l'ordre public, harcèlement de proches pour isoler le défenseur...

DES FACTEURS AGGRAVANTS

Les attentats du 11 septembre 2001 à New York et les actes terroristes perpétrés ailleurs dans le monde ou leurs menaces ont eu des conséquences néfastes pour la défense des droits humains. Les mesures de sécurité adoptées dans plusieurs pays ont très nettement détérioré l'environnement de travail des défenseurs. Bon nombre d'États utilisent la « guerre contre le terrorisme » pour restreindre, et même paralyser dans certains pays, l'action en faveur des droits humains.

L'obsession sécuritaire favorise la promulgation de lois liberticides qui entraînent une augmentation générale des mesures de répression à l'encontre des défenseurs. On assiste aussi à des glissements dangereux vers une acceptation plus ou moins explicite des tortures et des mauvais traitements. Plus généralement, le terrorisme a suscité des craintes qui ont été largement exploitées pour créer des psychoses, des amalgames et amplifier le développement d'une société sécuritaire. L'aspect sécuritaire devient alors prioritaire sur le respect des libertés fondamentales. Quand la punition des actes délictueux est confondue avec celle de

leurs auteurs, ceux qui protestent sont taxés d'être plus laxistes et plus proches des terroristes que des victimes. Continuer à prôner le respect du droit dans ces conditions, c'est risquer d'être jugé dangereux et assimilé à des activités subversives.

Le défi est là : il faut combattre les atteintes au système de protection des droits humains et dénoncer la pratique des «restitutions extraordinaires» et les conditions abominables de détention à Abou Ghraib, à Bagram, à Guantanamo et dans d'autres lieux utilisés dans la «guerre contre le terrorisme».

Les conflits entraînent des violations massives des droits humains, dans des situations qui requièrent plus que jamais la mobilisation des militants. Ils sont alors les ultimes témoins pour alerter sur les violations commises par les parties au conflit, épauler les victimes et leur apporter la protection dont elles ont besoin. Mais c'est précisément dans ce cadre que leur travail est particulièrement entravé. Ainsi, des lois d'exception qui sont parfois adoptées peuvent avoir des fondements valables mais sont souvent des prétextes pour interdire déplacements et enquêtes dans certaines zones d'affrontements (voir le portrait de Sinangnan Koné p. 84). En outre, dans les périodes de tension, l'impartialité des défenseurs est fréquemment mise en cause. On les présente facilement comme des «antipatriotes», voire comme des traîtres. Ils constituent alors des cibles privilégiées, voire «légitimes», pour les gouvernants répressifs.

L'absence d'État de droit et le recours à la force qui remplace en temps de conflit le dialogue démocratique limitent considérablement le travail pourtant indispensable des militants. Les défenseurs doivent jongler avec les autres structures sociales et politiques afin de prévenir et réparer les atteintes aux droits humains et de construire un cadre de protection au niveau local.

Toutes ces mesures ont pour unique objectif de faire taire les défenseurs. Et ceux qui veulent les faire taire ne renoncent pas facilement. Dans ce bras de fer, les défenseurs font souvent preuve d'une résistance qui inspire le respect. Chaque année pourtant, les violences qu'ils subissent, jusqu'à la mort pour certains, rap-

pellent tragiquement le danger réel qu'ils encourent. La protection de ces défenseurs (nécessité qu'a formulée et reconnue la Déclaration sur les défenseurs de 1998) est alors essentielle. Elle se joue dans la complémentarité des dispositifs institutionnels (voir le texte de Michel Forst p. 12) et onusiens (voir le texte de Hina Jilani p. 132). Elle est aussi au cœur du travail de plusieurs ONG internationales qui en ont fait un axe de travail prioritaire. Front Line, l'Observatoire pour la protection des défenseurs des droits de l'homme, le programme conjoint de la FIDH et de l'OMCT et le programme Défenseur des droits humains d'Amnesty International (DDH) participent de ce nécessaire élan.

LE TRAVAIL D'AMNESTY INTERNATIONAL EN FAVEUR DES DÉFENSEURS

Amnesty International travaille avec les défenseurs des droits humains depuis sa création, il y a près d'un demi-siècle. Au fil de ces années, l'ONG a lutté contre toute une série de mesures répressives appliquées par des gouvernements de tous bords pour réduire les militants au silence. La répression a pris des formes différentes selon l'époque et la situation : en Amérique latine par exemple, les «disparitions» et les homicides commis par les escadrons de la mort ont succédé, dans les années 1970 et 1980, aux détentions politiques qui visaient à faire taire les dissidents. Les gouvernements militaires ne laissaient ainsi aucun indice et pouvaient nier toute implication dans ces agissements.

Forte de son expérience, Amnesty International peut mobiliser l'opinion publique autour des cas individuels, des lois, des pratiques et des violations fréquentes. Elle peut user de sa légitimité et de sa force morale pour faire pression sur les hauts responsables, lorsque les défenseurs des droits humains risqueraient d'en subir les répercussions. Et surtout, elle ne manque pas de souligner le rôle déterminant joué par les défenseurs, qui sont parmi les plus fiables informateurs de ces organisations qui relaient leurs informations. Dans certains pays, comme au Myanmar, où les personnes qui réclament le respect des droits les plus fondamentaux risquent d'être réduites au silence, des organisations internationales s'expriment au nom des défenseurs des droits humains.

EN FRANCE

Amnesty International a décidé de prolonger et de capitaliser le formidable élan donné par les états généraux de 1998 (ou Sommet des défenseurs[5]) en développant la coordination avec les défenseurs afin de les protéger et de relayer leurs combats. Le travail d'Amnesty International se décline à plusieurs niveaux. En France, il s'est traduit par la mise en place d'un programme spécifique qui relaye les actions internationales, développe certaines spécificités telles que le parrainage de défenseurs par des parlementaires ou des personnalités. Chaque année, la possibilité est donnée à certains défenseurs de suivre une formation sur les droits de l'homme en France ou ailleurs.

Le travail de sensibilisation des autorités françaises sur le rôle des défenseurs et le devoir de les protéger, notamment *via* le réseau diplomatique, qu'il ait lieu lors de visites en France de défenseurs ou lorsque des situations le commandent, est essentiel. Faire connaître des situations particulières, c'est accroître la reconnaissance à l'international du travail accompli par les défenseurs sur le terrain ; ce qui peut parfois se révéler être une véritable protection. Des campagnes de sensibilisation sont par ailleurs régulièrement organisées pour donner plus de visibilité au travail des défenseurs et en faire comprendre l'enjeu. Enfin, au-delà de la publication régulière de rapports sur des situations ou des cas spécifiques, les interventions massives et rapides de militants en faveur de défenseurs en danger (sous forme de courriers, fax, courriels les « actions urgentes ») sont parmi les leviers d'intervention les plus efficaces.

---

5. Voir l'encadré Le Sommet des défenseurs de Paris, p. 22.

CHAPITRE 3

PORTRAITS DE DÉFENSEURS

« Je suis très honorée de figurer dans ce livre de portraits de défenseurs répartis dans le monde entier. Je sais autant que vous l'importance de donner de la visibilité à notre combat et de le soutenir et de lui donner de l'ampleur. »
Marisela Ortíz, Ciudad Juárez, 5 juin 2008.

La Déclaration de l'assemblée générale des Nations unies sur les défenseurs des droits de l'homme de 1998 a donné une définition, volontairement large, de ce qu'est un défenseur. Cette définition rappelle la diversité de leurs modes d'action : seul ou au sein d'une structure (souvent une ONG), dans un cadre professionnel ou non... Certains sont des figures connues, d'autres des artisans plus anonymes des droits humains... Tous, dans leur diversité, mais avec le même engagement, témoignent du dynamisme d'une famille qui, malgré les difficultés, ne cesse de grandir, accompagne les mouvements du monde et fait progresser la justice internationale. Alors, plutôt que de tenter d'égrener des listes et d'établir des classifications qui ne pourraient être qu'incomplètes et, pire, arbitraires, nous vous invitons à faire connaissance avec vingt d'entre eux, vingt parcours emblématiques de ce que font les défenseurs, représentatifs d'une réalité multiple et mouvante. Tous ces défenseurs ont en commun d'être venus en France, souvent pour bénéficier du soutien d'Amnesty International.

Chaque année, ils sont près d'une quinzaine à venir à Paris, et ces visites s'inscrivent souvent dans le cadre d'une tournée dans d'autres villes d'Europe, certains pour suivre des formations. Ils continuent à faire ici ce qui fait partie intégrante

de leur travail dans leur pays : témoigner, s'exprimer, expliquer, rencontrer (des journalistes, des autorités françaises, d'autres acteurs de la société civile). Figurer dans ce livre, c'est prolonger cette prise de parole et donner un visage aux droits humains. Tous nous ont confié des paroles riches et précieuses pour faire comprendre et transmettre le sens et l'ampleur de leur engagement. Au-delà de ce qu'ils sont et font, qu'ils soient remerciés pour la confiance qu'ils nous témoignent.

IVÁN CEPEDA (COLOMBIE)

CONTRE L'IMPUNITÉ ET LA CULTURE DE LA VIOLENCE

Parce que le conflit colombien est sans fin et extrêmement complexe, les grilles de lecture sont vite brouillées, voire simplificatrices. C'est pour cela qu'Iván Cepeda a toujours à cœur de donner des éléments d'analyse fouillés et précis. On peut y voir la salutaire exigence d'un journaliste formé au droit et à la philosophie. Sans doute faut-il aussi y déceler une part d'héritage pour ce militant des droits de l'homme né dans cette première moitié des années 1960 qui a vu la Colombie basculer dans la violence. Un conflit armé oppose en Colombie, depuis plus d'une quarantaine d'années, les mouvements de guérilla aux forces du gouvernement. Ces forces armées se sont longtemps appuyées sur des groupes paramilitaires (censés être démantelés aujourd'hui) qui recourent à la torture, aux «disparitions» et aux exécutions extrajudiciaires dans une «sale guerre» accompagnée de violations systématiques des droits humains. La responsabilité des mouvements de guérilla dans des actes de violence et de violation du droit international humanitaire, notamment enlèvements et meurtres de civils, est aussi une réalité. Et même si, ces dernières années, les actes de violence diminuent assez sensiblement, les statistiques annuelles faisant état d'homicides et d'actes de violence restent alarmantes quels qu'en soient les auteurs. Dans ce contexte, la défense des droits de l'homme, pour essentielle qu'elle soit, est une activité à haut risque. Surtout quand les plus hautes autorités de l'État font peser sur ces défenseurs des soupçons de collusion avec la guérilla. Iván a grandi «en politique» avec des parents engagés qui lui ont très vite appris les liens entre réflexion et action. Son père, Manuel Cepeda Vargas, a, avant lui, étudié le droit pour ensuite devenir journaliste. Manuel rencontre Yra Castro dans des mouvements de jeunesse communistes; elle devient sa femme et la mère d'Iván. Dès ses premiers papiers, il s'expose. Suspecté, à travers ses reportages sur les coopératives rurales (créées pour résister aux grands propriétaires terriens), de soutien aux mouvements naissants de guérilla, Manuel est contraint à l'exil. La famille s'installe d'abord à Cuba, ce qui permet une rencontre avec Che Guevara, avant de traverser l'Atlantique et de

rejoindre Prague. Même s'il n'était qu'un enfant, Iván évoque le souvenir de l'invasion soviétique de l'été 1968. Rentrés en Colombie au début des années 1970, ses parents restent des militants de gauche convaincus et des journalistes engagés ; ils travaillent essentiellement pour des médias alternatifs. Menaces, procès et même prison constituent dans les années d'adolescence d'Iván l'horizon de la famille Cepeda-Castro.

Le 9 août 1994, Manuel, devenu sénateur de l'Union patriotique (UP), est assassiné à Bogotá dans une attaque conjointe des forces armées et des paramilitaires. Il était le dernier des membres de l'UP à se rendre encore au Parlement, en dépit des multiples assassinats qui avaient déjà visé d'autres sénateurs. Dès sa création en 1985, le parti de l'UP avait symbolisé la tentative de négociation entre guérilla et gouvernement et se voulait l'expression légale de l'opposition. Cet assassinat intervient quelques jours après l'arrivée au pouvoir du président Samper, porteur d'une initiative de paix.

La mort de son père, avec lequel Iván, devenu entre-temps lui-même journaliste, entretenait un dialogue politique critique et constructif, a constitué un choc décisif. Très vite, notamment avec l'aide de sa mère, il crée la Fondation Manuel Cepeda, en rassemblant le plus de monde possible. En effet, si le motif principal de la création de cette fondation était de découvrir la vérité sur l'assassinat de Manuel, elle a, dès sa mise en place, entendu faire aussi la lumière sur les cas de près de 400 membres de l'UP sur les 3 000 éliminés en dix ans. Objectif : mener les coupables présumés devant la justice. Au nom de son père, mais aussi des autres victimes, Iván mobilise en tous sens : médias nationaux puis internationaux, Commission interaméricaine des droits de l'homme, Nations unies, ONG internationales. Au bout de cinq ans, deux militaires de haut rang sont condamnés à des peines de quarante-trois ans de prison. Mais ils sont longtemps restés en service malgré l'engagement du président de l'époque, André Pastrana, de démettre de leurs fonctions tous les agents de l'État qui se rendraient ou se seraient rendus responsables de violations des droits humains. Si la plupart des crimes commis contre les membres de l'UP ont été attribués aux forces de sécurité et aux paramilitaires, très rares sont ceux qui ont été traduits en justice.

Aussi Iván devenu à travers le combat pour son père une figure de premier plan dans la défense des droits de l'homme et la fondation continuent-ils leur patient

travail. Cette dernière revendique de travailler pour et avec toutes les victimes du conflit. Au-delà de la quête de justice, elle se soucie de faire un travail de mémoire. Afin que cette mémoire soit partagée par l'ensemble de la société civile, des espaces de rencontre pour les victimes et le public ont par exemple été mis en place : « galerie de la mémoire » et « autobus de la mémoire » sont les lieux d'une parole libérée. Obstinément tournée vers la résolution du conflit, la fondation mène ce travail pour que soit créée une commission vérité, comme cela a pu être le cas en Afrique du Sud. Elle joue aussi un rôle de premier plan au sein du Mouvement des victimes des crimes d'État, regroupement d'ONG qui travaillent pour les familles de victimes tuées par l'armée ou ses alliés paramilitaires au cours des quarante années de guerre civile.

En devenant un défenseur des droits de l'homme de premier plan, Iván s'expose inévitablement, comme l'avaient fait ses parents avant lui. Ses initiatives et celles de la fondation déplaisent, particulièrement aux militaires, qui continuent d'opposer la logique de la répression et de la vengeance à celle de la réconciliation et de la négociation. Les menaces et les pressions sont intenses. Elles ont contraint par deux fois Iván et sa compagne, Claudia (impliquée à ses côtés au sein de la fondation), à l'exil. En 2001, ils ont dû quitter la Colombie pour la France.

Aujourd'hui, Iván est en Colombie. Plus que jamais, c'est une figure majeure et reconnue dont l'analyse est recherchée. Son activité au sein de la fondation et son travail de journaliste continuent de l'exposer, comme en témoignent les alertes que lancent régulièrement à son sujet des ONG comme Amnesty International. Ses prises de parole sont fréquentes, et il est un très fin analyste de la situation en Colombie. Dans la rubrique sur les droits humains qu'il tient dans *El Espectador*, un des principaux journaux d'information indépendants, il ne cesse de critiquer la prétendue démobilisation des groupes paramilitaires et alerte sur le risque d'impunité associé à un tel processus pour les auteurs de violations des droits humains. Il dénonce les persécutions permanentes exercées sur la société civile par l'État, ouvertement ou de manière plus discrète, *via* les forces militaires, les corps de sécurité ou avec la complicité des groupes paramilitaires. Avec la même vigueur, il dénonce la culture de la violence et les « stratégies » d'impunité mises en place par l'État. Ses critiques ont redoublé quand, au printemps 2008, le président Uribe a autorisé l'extradition vers les États-Unis de quatorze anciens chefs paramilitaires

afin qu'ils y soient jugés pour trafic de drogue ; l'exigence de vérité et de justice pour les victimes de ces repentis s'est alors éloignée un peu plus.

Pourtant, ces victimes ou leurs familles sont de plus en plus nombreuses à faire entendre leur voix et à réclamer justice et réparation. À leurs côtés, des défenseurs incarnent cette exigence et cet espoir de vérité, au nom des 130 000 victimes estimées de ce conflit. Tous font du respect des droits humains, de tous les droits humains pour tous, une des conditions de la résolution du conflit.

MARTINA CORREIA (ÉTATS-UNIS)

AU NOM DE TROY, CONDAMNÉ À MORT

Savannah, État de Géorgie, sud des États-Unis. Le 19 août 1989, un policier se précipite au secours d'un mendiant agressé. Il est abattu de deux balles. Vingt-quatre heures plus tard, Troy Anthony Davis, jeune homme de 20 ans présent au moment du meurtre, apprenant par un ami qu'il est suspecté, se rend volontairement à la police pour témoigner. Immédiatement arrêté, il est, deux ans plus tard, condamné à la peine capitale sans preuve matérielle, sur la base de déclarations de témoins. Vingt ans après, sept des neuf témoins à charge se sont rétractés, la plupart affirmant avoir été contraints par la police. Ces nouveaux témoignages n'ont jamais été entendus par la justice.

À l'époque de l'arrestation de son frère, Martina Correia est infirmière dans l'armée américaine depuis cinq ans, comme son père avant elle, et comme Troy, qui devait rejoindre les Marines deux mois plus tard. Elle se souvient de l'atmosphère de l'époque : « Une chasse après un esclave en fuite. » Elle n'avait jamais vu autant de haine. Jamais entendu autant de variations sur le thème du « sale nègre »… Vingt-quatre heures après l'arrestation, la photo de son frère est à la une des journaux. Avant qu'il ait été interrogé par la police, la première page d'un journal titre « Troy D., l'assassin de policier, recherché mort ou vif ».

Quand son frère se rend au poste de police, la première question qu'on lui pose est : « Où est ton arme ? » Troy répond qu'il n'en a jamais possédé. Martina raconte que, depuis 1989, et jusqu'à aujourd'hui, la police ou la justice n'ont jamais posé à Troy une seule question sur le crime... Pour eux, il est coupable. De l'arrestation au procès, les médias ne cessent de parler de l'affaire. Le procès prend une dimension nationale et, à Savannah, tout le monde prend la famille de Troy et Martina en grippe : il faut qu'il soit coupable pour venger la mort du policier.

Le cours de la vie de la jeune Martina, 22 ans à l'époque, change. Elle se souvient de ce que lui disait son père à propos des gens de couleur : « Il y a le monde, et il y a le monde des gens de couleur et des pauvres. » Elle voit encore la peur dans ses yeux quand il leur racontait ce qu'il avait vécu dans le passé. Et elle, avec sa fratrie, de lui répondre que ce temps était fini. Aujourd'hui, tout ce que son père lui racontait, elle l'a vécu ; pas de manière aussi dure, mais toujours aussi blessante. Au début, elle disait à Troy que s'il disait la vérité, s'il se battait, la justice finirait par éclater. Le 19 août 1991, il est condamné à mort. Elle fait alors le serment de continuer inlassablement à faire connaître la situation de son frère.

Martina Correia a vécu une enfance agréable, avec ses quatre frères et sœurs, entourée de parents aimants : elle habite un quartier *middle class,* fréquente une école à « majorité blanche », n'est « pas pauvre », est bonne en classe, comme son frère Troy, qui était le parfait « bon mec », se moque-t-elle gentiment. Très loin des clichés renvoyés par les journalistes demandant à son frère au moment de son arrestation s'il habitait dans un ghetto, s'il était dépendant de la drogue ou s'il avait été violenté durant son enfance... À 12 ans, pour trois dollars, elle devient membre d'Amnesty International aux États-Unis, parce qu'elle lit que cette organisation « proteste contre les injustices subies par des gens dans le monde entier ». Aujourd'hui, elle est responsable bénévole pour Amnesty International contre la peine de mort, responsable de trois autres organisations abolitionnistes de Géorgie, et présidente de Cure (Citoyens unis pour la réhabilitation des errants). Entre-temps, elle a dû quitter son travail d'infirmière dans l'armée, qu'elle adorait, à la suite des pressions d'une hiérarchie qui a tout tenté pour l'empêcher de prendre position sur la peine de mort : affectations à l'étranger, accusation de folie, menaces de ne pas être promue, de renvoi et de poursuites judiciaires. Se prononcer contre

la peine de mort dans l'armée, c'est prendre position contre l'État et le gouvernement.

Malgré ces incessantes pressions et intimidations, Martina résiste. Elle se «spécialise» sur l'application de la peine de mort dans le système judiciaire américain, aggravant son cas aux yeux de l'armée. «Ta famille n'a qu'à s'en occuper, lui dit un jour son commandant. L'armée vient en premier, ta famille en second.» Elle estime que c'est à elle, l'aînée, de s'occuper de son frère et de sa mère. Elle lui répond : «L'armée vient en second. J'ai mis ma vie en danger sur tous les fronts pour l'armée, et maintenant que ma famille subit une injustice, l'armée m'abandonne.» Elle se bat pour ne pas être accusée de faute grave et quitte l'armée pour se consacrer à sa famille.

Depuis, cela fait huit ans qu'elle «tourne» dans les écoles, dans des conférences aux États-Unis et à l'étranger pour sensibiliser sur la peine de mort, sur la torture que cela représente pour les familles de condamnés. Les menaces de mort sur son téléphone ou son e-mail proférées par des membres du Ku Klux Klan, les insultes racistes, les mensonges véhiculés sur sa famille, elle a appris à vivre avec, mais elle est toujours obligée d'augmenter le volume de la télévision de sa chambre pour ne pas entendre les prières et les pleurs de sa mère quand le soir est venu, et ne pas s'effondrer à son tour.

La torture psychique que constitue le couloir de la mort affecte toute la famille. Elle dit que sa famille vit dans le couloir de la mort, parce que c'est là que vit son frère. Vingt-quatre heures avant l'exécution de son frère le 17 juillet 2007, finalement repoussée, son fils de 13 ans lit une lettre qu'il a passé trois jours et trois nuits à rédiger, seul, pour essayer de convaincre le Comité des grâces d'accorder sa clémence pour son oncle. Elle ne peut l'entendre, de peur de s'évanouir.

Depuis le rétablissement de la peine de mort aux États-Unis en 1976, 137 personnes ont été innocentées après avoir été condamnées à la peine capitale, souvent sur la base de faux témoignages. La plupart des condamnés à mort sont pauvres et de couleur. Troy Davis pourrait être exécuté à la fin de 2008 sans avoir jamais eu droit à une procédure judiciaire équitable.

Si elle se reconnaît «défenseure des droits humains», Martina se voit avant tout comme quelqu'un à qui on téléphone, et qui décroche. Quand elle regarde

le passé, qu'elle voit grâce à qui elle peut se battre et parler librement, elle se sent redevable. Des gens, à un moment, quelque part dans le monde, se sont révoltés, ont dit : « Non, ça, ce n'est pas juste ! » S'il n'y avait pas eu Gandhi, Martin Luther King, son père, son frère Troy, elle ne serait pas aussi forte. Les injustices qu'ils ont subies l'ont construite. Elle se voit comme un passeur et un témoin : si elle se bat pour la dignité humaine, c'est parce que son fils est là et va prendre sa place dans le monde. « Je ne suis qu'un petit maillon dans la chaîne, mais si les maillons ne sont pas solides, la chaîne va se briser. » Si elle est une défenseure, c'est à cause du chemin qu'ont tracé toutes ces personnes et qu'elle veut suivre. Elle se dit que la vie est un cadeau qu'on ne doit pas prendre à la légère. Il doit y avoir des défenseurs pour toute chose, des défenseurs des arbres, des défenseurs des habitations. Elle a choisi de défendre l'humain.

NACÉRA DUTOUR (ALGÉRIE)

LE COMBAT D'UNE MÈRE, AU NOM DES DISPARUS

Nacéra Dutour se définit avant tout comme une mère. La mère de ce fils, d'une fratrie de trois enfants, qu'elle a dû se résoudre à déclarer comme « disparu ». Ce 30 janvier 1997, près d'Alger, Amin était parti faire quelques courses en vue de la rupture du jeûne du ramadan. Il n'a jamais reparu. Il avait 20 ans. Nacéra, qui se décrit volontiers comme une femme ordinaire, voit alors l'incompréhensible surgir dans sa vie. D'autres avant elle l'ont vécu, elle connaît ce phénomène des « disparitions forcées » qui frappent de nombreuses familles. Elle est confrontée à son tour au conflit qui déchire son pays depuis 1992. L'arrêt brutal du processus électoral à la veille d'une probable victoire du Front islamique du salut (FIS) aux premières élections pluralistes depuis l'indépendance (1962) a en effet conduit l'Algérie à un déchaînement de violence… Durant la période la plus dure, entre 1993 et 1998, la vie quotidienne dans les villes et les campagnes a été extrêmement difficile : aux crimes commis par les groupes armés islamistes ont succédé

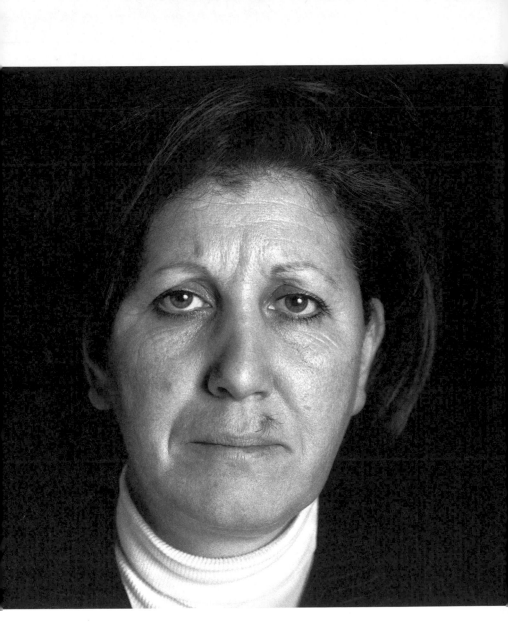

ceux perpétrés par les forces de sécurité au nom de la chasse aux terroristes. La population civile a payé pour cela un très lourd tribut : attentats, exécutions extra-judiciaires, enlèvements… Des Algériens de tous milieux ont subi chaque jour, et bien souvent de manière totalement arbitraire, dans un réel climat de terreur.

Il lui a fallu alors du courage pour ne pas se laisser abattre ni impressionner et pour s'élever contre ce qui apparaissait comme une fatalité. Quand on reconnaît aujourd'hui sa bravoure et son engagement, Nacéra y voit un encouragement à poursuivre malgré les moments de doute. Elle préfère insister sur la seule question qui importe à ses yeux : l'exigence de vérité. Elle ne peut nier la disparition de son fils ; elle ne l'accepte pas, pas plus qu'elle ne se résout à ne pas savoir ce qu'il est advenu de lui depuis. Elle ne peut faire le deuil de ce fils qu'on lui a arraché. Dès lors, elle a décidé de consacrer sa vie à cette quête, dans un engagement qui relève, elle en convient, du sacerdoce.

Très vite, et avec l'aide de sa mère, Fatima Yous (encore aujourd'hui impliquée à ses côtés), elle se lance dans une véritable enquête : elle fait le tour des commissariats, des hôpitaux, des casernes… en vain. Les officiers qu'elle questionne ne nient pas ; ils lui expliquent que ce qui lui arrive est le lot de plusieurs autres familles, que c'est un sort lié à la guerre. Très vite surtout, elle rencontre ces autres familles, ces mères, confrontées à la même réalité. Tout en prenant la mesure de leur désespoir, elle est convaincue que leur union les rendra plus fortes et incontournables. En 1998, elle met en place à Alger le Collectif des familles de disparus en Algérie (CFDA), dont elle assure encore aujourd'hui la présidence. Les bureaux du collectif permettent aux familles de se rencontrer, de sortir de leur isolement et de leur désespoir. Des dossiers sont minutieusement constitués sur les « disparus » : on n'en compte pas moins de 8 000, dont 5 300 comportent des détails précis sur les dates, les lieux de la disparition, les autorités impliquées, alors que les estimations, selon qu'elles proviennent des autorités ou des associations, oscillent entre 7 000 et plus de 20 000 cas. Le collectif veut aussi se faire voir et entendre : chaque semaine, il organise des manifestations pacifiques devant des institutions d'État dans plusieurs villes pour protester contre l'indifférence. Souvent, on lui conseille avec plus ou moins d'empressement et de menaces de se taire, sous peine de rejoindre son fils. Nacéra continuera à parler. À l'étranger même. Elle qui vit entre la France et l'Algérie se fait le porte-parole des familles hors des frontières de l'Algérie, partout où elle le peut, n'hésite pas à brocarder une communauté inter-

nationale qu'elle juge trop souvent complaisante envers les autorités algériennes lorsque la responsabilité des disparitions est rejetée sur les seuls islamistes. Mais Nacéra n'entend pas se mêler de politique, du moins pas de la politique intérieure de l'Algérie. Le parti qu'elle a pris, c'est celui de la recherche de la vérité, pour son fils mais aussi pour toute une génération sacrifiée. Des couloirs des Nations unies à ceux du Parlement européen, en passant par les innombrables réunions et rencontres publiques auxquelles Amnesty International l'a associée, elle témoigne avec la même conviction pour faire reconnaître le drame des familles et faire réagir la communauté internationale.

Son travail et celui du collectif sont relayés dans leurs rapports par des ONG comme Amnesty International, la FIDH ou Human Rights Watch, qui la soutiennent.

Dix ans après sa création, le collectif peut s'enorgueillir d'avoir obtenu, avec le soutien et le relais d'autres associations, d'avocats, que les autorités algériennes dépassent le déni et reconnaissent l'ampleur du phénomène des disparitions forcées, longtemps réduit à un phénomène marginal. Pour autant, la justice algérienne continue d'opposer une fin de non-recevoir aux familles qui ont pu déposer plainte auprès des institutions judiciaires et administratives du pays. Et si l'Algérie a signé le 6 février 2007 la toute nouvelle Convention internationale pour la protection de toutes les personnes contre les disparitions forcées (texte qui définit les disparitions, les qualifie de crimes et établit les responsabilités des États mais aussi des groupes d'opposition pour les prévenir et les réparer), aucune initiative n'a été prise pour élucider le sort des disparus.

Les lois d'amnistie successivement adoptées par des autorités soucieuses de tourner la page des violences au nom de la concorde nationale sont un indéniable recul dans l'espoir de voir les cas de disparition un jour pris en compte par la justice. Après deux lois promulguées en 1995 et 1999, l'adoption en 2006 de la Charte pour la paix et la réconciliation nationale est ainsi un obstacle supplémentaire dans le combat des familles. Cette charte interdit de porter plainte contre des agents de l'État et rend passible de poursuites toute critique de leur comportement. L'ordonnance 06-01 de mise en œuvre de cette charte prévoit par ailleurs des indemnités pour les familles de disparus après la délivrance par les autorités d'un certificat de décès du proche. Certaines familles ont même subi des pressions des

autorités pour les pousser à demander ce certificat; beaucoup ont refusé, par crainte de voir alors s'évanouir tout espoir d'ouverture d'enquête sur leurs proches. En 2007, les autorités algériennes indiquaient aux Nations unies avoir retenu 6 223 demandes d'indemnisation.

Nacêra continue encore et toujours de défendre une autre manière de traiter les dossiers de disparition. À l'oubli favorisé par ces récentes dispositions, elle oppose une exigence de vérité. En cela elle se place du côté de ceux qui sont convaincus que l'impunité pour les crimes d'hier entretient et nourrit les violences d'aujourd'hui. Ce n'est pas une formule, c'est une réalité. Au-delà du combat porté par l'amour d'une mère pour son fils, son engagement traduit un idéal et une exigence de justice et de vérité. Aux yeux de trop de cyniques, elle a la naïveté d'y croire. Au nom de son fils, elle a la foi d'y croire.

JOSÉ GUALINGA (ÉQUATEUR)

POUR LES DROITS DES SARAYAKUS, CONTRE LES INTÉRÊTS PRIVÉS

Il est difficile de parler de José Gualinga au singulier, tant sa lutte épouse celle de son peuple. Il a accepté d'être pris en photo à condition qu'à chaque fois, il soit fait mention de son activité en faveur des droits du peuple sarayaku quechua. Les Sarayakus, ce sont 1 200 âmes éparpillées dans le sud de la forêt amazonienne de l'Équateur, près du fleuve Bobonaza, province du Pastaza. Dispersés en hameaux isolés, mais unis par une même vision du monde, un même mode de vie, fait de cueillette, de pêche, de chasse et d'élevage, un même désir de respecter leur culture et leur savoir ancestral pour préserver l'avenir de leur communauté, et celui de l'humanité.

En 1992, pour célébrer à leur manière le demi-millénaire de l'arrivée de Christophe Colomb en Amérique, et le processus d'exploitation, de dépossession et de

marginalisation des populations amérindiennes qui s'est ensuivi, les peuples autochtones d'Amazonie sortent de la forêt et marchent sur la capitale, Quito. Ils y sont restés des semaines, jusqu'à être reçus au palais du gouvernement, où ils ont négocié de spectaculaires aménagements dans la Constitution. L'Équateur est alors devenu un État pluriculturel et a reconnu des droits spécifiques aux peuples autochtones.

Dans la foulée, les Sarayakus obtiennent les titres de propriété officiels pour les 254 000 hectares de leur territoire ancestral. Cette victoire historique pour la reconnaissance de leurs droits ne dure pourtant pas longtemps. Aux yeux du gouvernement équatorien, des institutions financières internationales (IFI) et des multinationales pétrolières, le territoire sarayaku a un nouveau surnom, moins poétique : le « bloc 23 », nom de la concession pétrolière cédée à une compagnie argentine d'extraction. Car, suite à l'explosion de la dette au milieu des années 1990, l'État voit dans le pétrole, l'une des principales ressources du pays, une bonne manière de rembourser ses créanciers. Les IFI préconisent en effet l'ouverture aux capitaux étrangers pour l'exploitation des ressources naturelles à très bas prix. En 1995, l'Équateur ouvre ainsi dix nouveaux blocs de 200 000 hectares à l'exploitation pétrolière, incluant le territoire sarayaku. L'exploitation du sous-sol, par intérêt national, reste possible mais nécessite, en particulier avec la ratification de la convention 169 de l'OIT par l'Équateur en 1998, la consultation et l'accord des peuples autochtones. En 2002, l'État équatorien bafoue ce droit. Des compagnies pétrolières, accompagnées par l'armée, pénètrent sur le territoire sarayaku pour y effectuer des explorations sismiques ; 600 employés de la compagnie, accompagnés de 400 militaires, débarquent malgré une opposition acharnée et non violente des 1 200 membres de la communauté. Mais, après plusieurs semaines, les étrangers se retirent... les Sarayaku ont en effet porté plainte contre l'État pour viol de sa Constitution devant la Cour interaméricaine des droits de l'homme (CIDH), qui a déclaré la plainte recevable et ordonné le retrait de la compagnie et des militaires.

José Gualinga est, avec son frère, l'un des leaders de cette lutte pacifique. Il est aussi le fils de don Sabino Atanacio Gualinga Cuji, *yachak* (chaman) de la communauté, et a suivi l'enseignement de son père, qui a vu les conséquences terribles pour la flore et la faune des premières concessions pétrolières dans les années 1940. « L'extraction du pétrole, pour nous, signifie la mort. La forêt nous

offre ce dont nous avons besoin pour vivre ; c'est notre pharmacie, elle nous fournit l'eau à boire et pour nous baigner. »

Pendant que son frère filme l'invasion de leurs terres, José dénonce, avec d'autres, la menace que représente l'exploitation pétrolière pour leur survie, et la violation de leurs droits par l'État censé les protéger. Les représailles ne se font pas attendre. Le 21 février 2003, une station de radio locale reçoit un fax demandant de transmettre l'information selon laquelle José Gualinga et un autre responsable de la communauté ont trouvé la mort dans un accident de voiture. Ce message, envoyé pour les intimider et instaurer un climat de terreur au sein de la communauté, fait suite à des menaces de mort contre lui. Malgré la décision de la CIDH, l'État équatorien, en effet, ne désarme pas : on empêche les Sarayakus de se déplacer hors de leur territoire, et des membres du gouvernement les accusent, selon des procédés éprouvés, d'être des ignorants manipulés, ou des terroristes (comme la génération précédente avait été accusée de communisme), tout en cherchant à diviser les communautés.

Mais José Gualinga n'est pas ignorant, il connaît les drames vécus par les populations autochtones du nord du pays depuis l'exploitation de leur sous-sol : depuis les années 1970, 400 puits de pompage ont été installés sur près de 1 500 000 hectares de forêt. Les déchets, déversés dans des bassins à ciel ouvert qui débordent lors des pluies tropicales, se répandent dans la forêt. Dans certaines rivières, toute vie a disparu. Les populations indiennes qui vivaient sur ces territoires ont été décimées par les problèmes respiratoires, les cancers et les troubles neurologiques. « À 150 kilomètres au nord de chez nous, il y a d'énormes lacs de déchets de pétrole. Les rivières et le sous-sol sont pollués. Les peuples indiens, là-bas, ont été détruits. Ils ont découvert la pauvreté et survivent dans un environnement pollué », dit José. Le déversement de pétrole dans ces zones correspondrait à trente fois le naufrage de l'*Exxon-Valdez*.

José Gualinga n'est pas un terroriste, il a toujours choisi la voie pacifique pour dénoncer les épreuves subies par son peuple, et a toujours considéré cette épreuve non comme quelque chose d'isolé, mais comme un problème collectif posé à l'humanité. À ce titre, le dernier projet sarayaku, parmi de nombreuses autres initiatives en faveur d'un développement alternatif, est hautement symbolique des dimensions internationales et pacifiques recherchées. « Nos *yachaks* ont observé les parfums et la beauté des arbres et des fleurs. Les couleurs ont un pouvoir

attractif. Ils ont eu l'idée de planter des cercles d'arbres de 50 mètres de diamètre tout autour du territoire de Sarayaku. Ils ont choisi trois sortes d'arbres, qui peuvent devenir très grands (30 à 40 mètres) et qui ont des fleurs de trois couleurs : rouge, jaune et violet. Du ciel, Sarayaku sera entouré d'une frontière colorée, une frontière de vie.» Ces arbres peuvent être parrainés par des citoyens du monde, ce qui fait de cette frontière une protection internationale d'un nouveau genre. José se demande «si un peuple petit comme le nôtre peut changer le monde. Peut-être pas! Mais nous sommes sûrs que dans chaque cœur, il y a un peuple qui lutte avec la même force et, si petit soit-il, nous sommes le symbole de la puissance de la vie.»

AMINATOU HAIDAR
(SAHARA OCCIDENTAL/MAROC)

POUR LES DROITS DES SAHRAOUIS

Dire d'Aminatou qu'elle est une femme de convictions, c'est reconnaître une évidence qui s'impose à tous ceux qui rencontrent celle qui n'a de cesse d'affirmer ses engagements et de faire valoir sa force de caractère.

Adolescente, elle découvre – et brise d'ailleurs un secret de famille – que son oncle, militant de la cause sahraouie, a été porté disparu. Elle réalise surtout que les autorités ne lésinent sur aucun moyen pour réduire au silence la population : les harcèlements peuvent être nombreux, allant de la perte d'emploi aux détentions au secret accompagnées de tortures. Cela ne l'arrête pas : elle a des convictions et s'engage pour défendre les droits humains. Elle revendique pour chacun le droit d'exprimer ses idées et, pour son peuple, le droit à l'autodétermination.

Le Sahara occidental est l'objet d'un litige territorial entre le Maroc – qui a annexé le territoire en 1975 et y a proclamé sa souveraineté – et le Front Polisario, qui appelle à la mise en place d'un État indépendant sur ce territoire et a constitué,

en exil, un gouvernement autoproclamé dans des camps de réfugiés du sud-ouest de l'Algérie. En 1988, un plan de résolution du conflit préparé par les Nations unies a été accepté par les autorités marocaines et le Front Polisario ; ce plan a ensuite été approuvé par le Conseil de sécurité des Nations unies en 1991. Après plusieurs années de combat, les deux parties sont convenues que se tienne un référendum pour demander à la population sahraouie de choisir entre l'indépendance et l'intégration au Maroc. Le référendum, qui devait être organisé et mené par la Mission des Nations unies pour l'organisation d'un référendum au Sahara occidental (Minurso), était censé se tenir en 1992, mais n'a cessé d'être repoussé.

En 1987, à l'âge de 20 ans, Aminatou est prise dans une vague d'arrestations après avoir participé à des manifestations de protestation organisées lors de la visite d'une mission technique des Nations unies. Incarcérée, sans inculpation ni jugement, elle «disparaît» jusqu'en 1991 ; elle sera transférée dans plusieurs centres secrets de détention. Bien sûr, elle n'aura jamais aucune explication. Elle n'avait pourtant fait qu'exercer son droit à manifester, de manière pacifique.

Cette expérience difficile ne la fait pas céder. Fidèle à ses convictions, elle croit en la justesse de son combat. À l'illégalité de sa détention, elle oppose les moyens légaux de la résistance et revendique, encore et toujours, pour elle et pour l'ensemble des militants sahraouis, le droit de s'exprimer et de s'associer pour porter leurs revendications. Elle se consacre essentiellement à rassembler et diffuser des informations sur les violations des droits humains perpétrées par les autorités marocaines. Avec d'autres défenseurs, elle s'implique dans des campagnes pour la libération de prisonniers d'opinion et de prisonniers politiques sahraouis.

Dans sa vie de femme et de mère, Aminatou incarne les mêmes valeurs de liberté et d'indépendance qui fondent son engagement. Divorcée, elle élève seule ses deux enfants. Elle prend d'emblée soin de préciser qu'il n'y a là rien d'extraordinaire pour une femme sahraouie ; d'ailleurs, elle-même est fille de divorcés. Militante féministe – elle a publié de nombreux articles sur la question –, elle met en avant le sort enviable réservé aux femmes au Sahara occidental, en détaillant les nombreux domaines où la décision leur revient.

Au printemps 2005, le Sahara occidental est secoué par une vague de protestations d'une rare ampleur : sans perspective sur la tenue du référendum, la population, à bout, manifeste de manière pacifique son soutien au Front Polisario et réclame l'indépendance du Sahara occidental. Le 17 juin, Aminatou rejoint le

cortège, à Laâyoune, où elle vit. La manifestation a beau être pacifique, le climat est très tendu et les autorités répriment avec brutalité, ciblant en particulier militants et défenseurs de premier plan. Aminatou en fait partie : elle est arrêtée et passée à tabac ; douze points de suture en témoignent. Elle écope de sept mois de prison, condamnée pour soutien et participation à des manifestations violentes et appartenance à une organisation illégale. Amnesty International demande alors sa libération immédiate et inconditionnelle.

À sa sortie de prison, elle maintient : « Ni la torture ni la prison ne m'empêcheront de dénoncer les atteintes aux droits de l'homme et les crimes commis contre la population sahraouie. »

Alertée par les militants sahraouis dont la parole est relayée par des ONG de défense des droits de l'homme, la communauté internationale porte une oreille plus attentive à leurs revendications. Surtout, l'ampleur des répressions du printemps 2005 n'a pas laissé indifférent. Aminatou profite de ce moment et de la chance qu'elle a de ne pas être privée de son passeport et de pouvoir circuler hors du Sahara occidental pour se lancer dans une véritable tournée internationale et porter la voix de son peuple. Elle a commencé l'année 2006 en prison, elle la finit en parcourant le monde, de la Suède à l'Afrique du Sud, des Pays-Bas aux États-Unis… Inlassablement et avec la même conviction, elle dénonce les violations des droits humains commises au Sahara occidental et fait entendre les revendications de son peuple. Au cours de ses visites, elle est reçue par des responsables politiques, des parlementaires, des institutions, des ONG. Curieusement, lorsque Amnesty International la fait venir en France en octobre 2006, le Quai d'Orsay ne la reçoit pas. Mais la reconnaissance est indéniable, comme en témoignent les prix qui lui sont décernés : prix Juan María Bandrés pour la défense du droit d'asile et la solidarité avec les réfugiés (Madrid, mai 2006) ; prix de la Liberté 2006 pour son combat en faveur du respect des droits de l'homme et de la légalité internationale au Sahara occidental (États-Unis, septembre 2006) ; prix Silver Rose décerné en 2007 par une alliance de 42 ONG issues de 20 pays européens en récompense de sa lutte pour la liberté et la dignité humaine.

Cette reconnaissance si précieuse n'écarte pas les menaces qu'elle continue de recevoir, tout comme la plupart des défenseurs des droits humains au Sahara occidental, souvent considérés comme des opposants politiques. Sur place, la situation reste extrêmement tendue. Les Nations unies ont reconnu, à la suite d'une

mission menée en mai 2006, que la question des droits humains restait des plus préoccupantes. Et les nouveaux pourparlers ouverts sous leur égide en juin et août 2007, entre le gouvernement marocain et le Font Polisario, n'ont pas apporté d'avancées significatives : le Maroc propose toujours un plan d'autonomie du territoire quand le Front Polisario réclame la tenue du référendum sur l'autodétermination.

De la force de caractère et des convictions, il en faut alors à Aminatou pour tenir, surtout quand les pressions visent aussi la mère qu'elle est. Ses enfants, qui atteignent bientôt l'âge de ses premiers engagements, ne sont pas épargnés. Mohamed, son fils, s'est vu refuser l'inscription à l'école par l'administration marocaine ; Hayat, sa fille, subit des harcèlements de la part des forces de l'ordre.

Aminatou continue malgré les menaces. «Vous pouvez me tuer, mais mes convictions survivront !»

PALWASHA KAKAR (AFGHANISTAN)

AU NOM DES DROITS DES FEMMES

Palwasha sait ce que l'expression «bien naître» peut vouloir dire. Elle souligne ici la chance qu'elle a eue de naître, au milieu des années 1960, dans une famille de Djalalabad (dans l'est de l'Afghanistan) à la fois soucieuse de perpétuer les traditions mais résolument éprise de liberté. En 1973, Palwasha, l'aînée d'une fratrie qui comptera sept autres filles, n'a que 8 ans quand Mohammed Daoud prend le pouvoir. Les perspectives de réformes sociales et progressistes dont il est porteur sont accueillies avec ferveur par les parents de Palwasha. Elle va à l'école, ce qui est loin d'être le cas de la plupart des fillettes de son âge. À la maison, sa grand-mère, poétesse reconnue, la sensibilise à la condition des femmes, de toutes celles qui n'ont pas la chance d'être nées dans leur milieu. Elle lui dit ce privilège qu'elle a de pouvoir choisir sa vie, ses études, d'être une femme libre dans un pays où la majorité ne l'est pas. Cette chance, c'est aussi une responsabilité. Souvent,

Palwasha mentionne cette grand-mère et le rôle déterminant qu'elle a eu dans son éveil, dans son parcours. Sans doute serait-elle fière de sa petite-fille, devenue aujourd'hui une femme de premier plan, engagée dans la défense des droits humains et en particulier dans celle des droits des femmes.

Ce vent nouveau qui souffle sur le pays et marque les années d'enfance de Palwasha n'a pourtant duré qu'un temps. L'instauration d'un régime communiste totalitaire en 1978, renforcé par l'invasion soviétique en 1979, a ouvert pour le pays une période durable de troubles et d'instabilité marquée par des exactions, des massacres et des disparitions. Paradoxalement, l'amélioration de la condition féminine prônée par les communistes est devenue un argument majeur de la cristallisation de la résistance des traditionalistes. La famille de Palwasha est restée en Afghanistan, alors que beaucoup ont préféré fuir. Après le lycée, la jeune femme rejoint Kaboul pour étudier les sciences sociales, choix qui ne doit rien au hasard, car Palwasha veut se donner les moyens de comprendre une société qu'elle a déjà pour ambition de faire évoluer. Diplômée en 1986, elle est un temps professeur d'histoire avant de devenir principale d'un établissement secondaire. Pendant huit ans, elle est au cœur du système éducatif et peut en mesurer les lacunes, en particulier sur la scolarisation et la formation des filles. Pourtant elle sait, tant elle l'incarne, combien l'éducation est un enjeu essentiel de l'émancipation des femmes et de l'évolution de la société. Mais elle sait aussi que les traditions sont fortes et figent des rôles bien établis entre hommes et femmes.

Consciente de ces limites, Palwasha décide de s'impliquer autrement en allant travailler à la racine de ces inégalités, là où l'école n'est pas présente. Au moment où les talibans prennent le pouvoir, en entrant à Kaboul en 1994, Palwasha s'engage dans des actions éducatives, sanitaires et sociales qui l'amènent à rejoindre diverses structures, dont l'Unicef, et à travailler dans plusieurs provinces du pays. La plupart du temps, elle est contrainte de poursuivre clandestinement ses activités dans des zones de combat ; elle y gagne une connaissance profonde du pays. Les talibans, ces « étudiants en théologie » qui se livrent à une lecture radicale des traditions et de l'islam, s'opposent aux actions auxquelles Palwasha prend part. Pour échapper aux opérations de représailles, elle est régulièrement obligée de changer de ville et part un temps au Pakistan voisin. Ces représailles s'intensifient après qu'elle a témoigné à Djalalabad, en Afghanistan, devant une délégation internationale de l'Unicef venue faire une étude de la situation des femmes. Elle

avait alors fait cadeau d'une burqa au chef de la délégation en disant : « C'est ça notre problème ! »

Mais l'intervention militaire des États-Unis à l'automne 2001, qui remet ce pays sur le devant de la scène, relègue du coup cette question à l'arrière-plan. Dans ce contexte, Palwasha, s'adaptant une fois de plus à la nouvelle donne de son pays, entend bien mettre ces questions au cœur des discussions liées à la « reconstruction » du pays. En 2003, elle rejoint la toute nouvelle Commission afghane indépendante des droits de l'homme, prévue par les accords de Bonn de décembre 2001 (destinés à mettre en place les structures de transition pour l'Afghanistan). À Harat, Palwasha prend alors en charge la section des droits des femmes. Sa priorité est de profiter du nouvel élan lié à la reconstruction pour favoriser un changement des mentalités et lutter contre les pratiques discriminatoires qui visent les femmes. Palwasha et son équipe alternent les formations destinées aux femmes et aux hommes, notamment ceux qui travaillent au sein des administrations, et les enquêtes de terrain. Progressivement, elle identifie des leviers de ces possibles changements auxquels elle veut croire. Elle cite pour preuve les résultats du séminaire de 2004 sur l'immolation, qui a entraîné une baisse substantielle de cette pratique dans les mois suivants. L'immolation – avec le suicide – est souvent la seule issue de femmes qui ne peuvent échapper à un mariage forcé, pratique qui reste très courante dans le pays puisqu'on estime que 60 à 80 % des femmes en sont victimes.

De telles améliorations sont porteuses d'espoir, comme le sont certaines mesures prises par les autorités pour améliorer l'accès à l'éducation, ou les initiatives d'ONG, nationales ou internationales, qui mènent des programmes destinés aux femmes. La reconnaissance dont certaines militantes sont l'objet au niveau international est aussi très précieuse ; elle accroît leur visibilité en Afghanistan. Palwasha le sait, elle qui a été plusieurs fois sollicitée pour témoigner à New York et à Paris, notamment à l'invitation d'Amnesty International.

Mais ces avancées restent fragiles. Palwasha en a conscience et cherche à obtenir toujours plus de moyens pour faire évoluer la situation. Loin des calculs partisans, elle accepte en 2007 le poste de ministre adjoint à la Condition féminine, un portefeuille plus technique que politique. En tant que déléguée à l'Administration et aux Finances, sa mission est de permettre aux femmes de l'administration afghane de conduire des projets de développement. Elle veut aussi veiller à ce que les autorités concrétisent des engagements qui tardent à voir le jour. Ainsi,

si l'Afghanistan a ratifié le 5 mars 2003 et sans aucune réserve la Convention internationale pour l'élimination de toutes les formes de discrimination à l'égard des femmes, bien des aspects de ce texte ne sont pas traduits dans la législation nationale. Le viol n'est toujours pas considéré comme un crime, les mariages forcés sont généralisés. Les violences subies par les femmes restent reléguées dans la sphère privée, ce qui ferme toute possibilité de recours pour celles qui tentent de les fuir et d'obtenir réparation. Un juge pouvait ainsi déclarer à Amnesty International en 2004 que «de la taille aux pieds, toute femme est la propriété d'un homme». Palwasha connaît ces lacunes et mesure l'ampleur du défi pour faire évoluer législation et mentalités. Alors elle songe à son père, soutien fidèle qui, après s'être enorgueilli d'avoir huit filles, s'est remarié avec une jeune femme dans l'espoir d'avoir enfin un garçon.

C'est donc au sein même du gouvernement qu'elle peut et doit désormais faire avancer ces questions. La tâche est immense. Son ministère pâtit comme tous les autres de la désorganisation et de l'instabilité du pays. Elle sait aussi que son ministère et son poste sont fragiles et peuvent être supprimés, pas uniquement pour des questions budgétaires. Sans doute trouvera-t-elle toujours d'autres moyens pour réaliser son souhait : que toutes les femmes de son pays puissent avoir la même chance qu'elle.

NATALIA KHODIREVA (RUSSIE)

LA VIOLENCE DOMESTIQUE, UNE AFFAIRE D'ÉTAT

Natalia Khodireva avait 14 ans quand elle a pris conscience de la réalité de la répression stalinienne. Elle a alors cherché à comprendre comment un chef d'État avait pu commettre des crimes inhumains sur son propre peuple. Ce sont ces interrogations qui l'ont poussée à étudier la psychologie à l'université de Leningrad, où elle a intensément travaillé sur la question de la violence politique et sur ses causes. Mais des événements d'ordre privé l'orientent ensuite vers

l'étude d'une autre forme de violence : celle qui s'exerce au sein du cercle familial. Natalia a en effet été battue très tôt, d'abord par son père puis, plus tard, par son conjoint.

Elle garde un souvenir vif de son désarroi quand elle a dû s'enfuir précipitamment de sa maison, sa fille d'un an dans les bras, les mains couvertes de sang. Elle se souvient surtout qu'elle n'avait trouvé aucun endroit où se réfugier, où trouver de l'aide. C'était en 1982, et elle avait déjà soutenu sa thèse de psycholinguistique. Elle choisit de s'intéresser alors de plus près aux recherches universitaires menées dans son pays sur la violence domestique, et s'aperçoit très vite que la littérature scientifique soviétique est remplie de préjugés. Toutes les études se concentrent sur la femme et sur son « problème », insistent sur sa position de victime, sur le côté pathologique de la situation, et négligent totalement la responsabilité de l'homme. Ce parti pris saute aux yeux de Natalia autant qu'il la choque quand elle découvre ce champ d'étude. Il reflète pourtant une certaine vision de la femme dans les années 1980 en Union soviétique, où il n'existait alors aucune organisation de défense des droits des femmes. Il a fallu attendre le tournant libéral des années 1990 pour qu'apparaissent de nombreux mouvements de femmes, essentiellement dans les grandes villes.

Natalia suit de très près cette stimulante éclosion, constatant qu'aucune structure ne propose aux femmes l'aide concrète qu'elle aurait voulu trouver quand elle a dû fuir de chez elle. C'est en partie pour combler cette lacune qu'elle prend la décision de créer, en 1992, le Centre de crise pour les femmes de Saint-Pétersbourg.

Réussir à mettre sur pied ce centre d'accueil, premier du genre dans l'ex-Union soviétique, a nécessité beaucoup d'énergie. Natalia a ouvert la voie et peut être fière de ce rôle de pionnière : elle a mis en place le premier centre de crise capable d'offrir un hébergement d'urgence, une assistance médicale, psychologique et juridique aux femmes victimes de violence, les premières campagnes contre la violence faite aux femmes, les premiers groupes de soutien aux victimes, la première ligne téléphonique d'urgence et les premiers films de sensibilisation portant sur cette thématique.

La mobilisation a été constante. Natalia garde un souvenir très fort de la « marche des femmes en noir » que le centre avait organisée en 1995, au début de la guerre en Tchétchénie, pour dénoncer, au-delà des mensonges et des manipulations liés à ce conflit, le sort réservé aux femmes. Les opposants à la guerre étaient rares,

et il fallait un courage fou pour oser contester le pouvoir, en particulier pour Natalia, qui était également professeur à l'université de Saint-Pétersbourg.

Très vite, le centre est devenu un refuge, un lieu où les femmes se sentent à l'abri du danger. Elles peuvent y venir, accompagnées de leurs enfants, et rencontrer des spécialistes. L'équipe du centre compte une vingtaine de salariés et de bénévoles (travailleurs sociaux, juristes, psychologues) qui écoutent et aident les femmes victimes de violences au sein de leur propre famille à surmonter le traumatisme. Natalia regrette bien sûr de ne pas pouvoir faire face à toutes les demandes : parfois, le centre doit se débrouiller pour organiser des hébergements de fortune dans ses propres bureaux.

En quinze ans d'existence, l'association n'a cessé d'élargir le spectre de ses actions pour s'adapter à une société russe dont les mutations ont rarement été synonymes d'améliorations pour les femmes.

Une ligne d'écoute téléphonique d'urgence, qui a reçu à ce jour plusieurs dizaines de milliers d'appels, a été mise en place en 1995. Aujourd'hui, le Centre de crise s'efforce, par des actions de prévention et de conseil, d'empêcher l'enrôlement des femmes dans des réseaux organisés de prostitution forcée. Enfin, forts de leur expérience, Natalia et son équipe contribuent au développement de centres du même type en Russie, en particulier dans les petites villes où les structures d'accueil font cruellement défaut, mais aussi dans d'autres pays de l'ex-Union soviétique (Arménie, Moldavie, Géorgie et républiques d'Asie centrale).

À la tête du Centre de crise pour les femmes et de l'Institut pour des relations non discriminatoires entre les sexes, Natalia travaille aussi en amont pour prévenir les violences. Au niveau politique, elle se bat avec d'autres associations pour que le parlement russe adopte enfin une loi criminalisant la violence domestique. Cette mesure est indispensable pour lutter efficacement contre des violences, encore trop souvent qualifiées d'« infractions mineures » si elles ne provoquent pas de blessures graves ou la mort. Natalia insiste aussi sur la nécessité de former le personnel des institutions judiciaires et de police pour qu'un policier ne puisse plus par exemple refuser d'enregistrer une plainte parce qu'il considère qu'il s'agit d'une « affaire de famille ».

Natalia appelle à une prise de conscience globale des femmes dans la société. Son combat, et celui de tous les militants des droits des femmes, est donc loin d'être terminé. Malgré les difficultés matérielles et politiques, malgré le contexte

global très peu favorable aux ONG dans la Fédération de Russie, elle ne perd pas l'espoir. Les femmes doivent avant tout prendre conscience de leurs propres droits ; c'est pour Natalia le prérequis indispensable à tout progrès. Elle veut inciter la nouvelle génération à lutter pour ses droits, et se réjouit d'ailleurs que sa fille, qu'elle avait dû emmener dans sa fuite pour la protéger, s'investisse à son tour au sein du Centre de crise.

Dans les moments de doute, Natalia puise la volonté de continuer son action dans les nombreux témoignages de solidarité qu'elle a pu recevoir et dans les rencontres faites au cours de forums et de réunions internationales. Elle est consciente que, partout dans le monde, d'autres femmes et hommes, des collègues, des amis, partagent ses convictions et défendent les mêmes droits. Elle se souvient par exemple avec beaucoup d'émotion de l'enthousiasme des participants à la Conférence mondiale sur les femmes de Pékin en 1995, ou de Shirin Ebadi, Prix Nobel de la paix 2003, rencontrée au forum social de Mumbai en 2004. Cette solidarité internationale est précieuse quand elle a parfois le sentiment de se battre seule.

Natalia est consciente que le chemin que les femmes doivent parcourir pour revendiquer le respect de leurs droits fondamentaux est encore long et nécessite de remettre en cause les fondements de la société. En cela, il peut même sembler douloureux pour certaines. Mais les changements pour un meilleur respect des droits des femmes sont indispensables pour leur avenir et pour celui de la société russe dans son ensemble.

BAUDOUIN KIPAKA
(RÉPUBLIQUE DÉMOCRATIQUE DU CONGO)

SUR TOUS LES FRONTS

À Uvira (Sud-Kivu, province de l'est du pays, à la frontière du Burundi), où il vit et travaille, Baudouin Kipaka se fait plus souvent interpeller par un « monsieur le juge » que par son patronyme. Manière sans doute de souligner le respect

qu'inspire la charge de juge pour enfants qu'il exerce auprès du tribunal. Même dans les locaux de l'Arche d'alliance, ONG dont il assure la présidence, on lui donne du monsieur le juge. Lui n'y attache pas une importance démesurée, préférant souligner qu'au-delà des titres, ce sont les fonctions qu'il exerce dans l'une et l'autre de ces instances qui lui importent. À Uvira, le tribunal n'est pas très éloigné des bureaux de l'Arche d'alliance, ce qui lui permet de naviguer de l'un à l'autre au gré des dossiers et des urgences. Pour autant, il se défend de tout risque de confusion : les modalités des deux activités sont radicalement différentes, même si ses compétences juridiques lui sont précieuses pour son travail à l'Arche d'alliance.

L'association mène en effet des enquêtes sur les cas de violation des droits humains, lutte contre l'impunité et porte les affaires devant la justice. En rejoignant l'Arche d'alliance, Baudouin a non seulement fait profiter cette ONG de ses compétences juridiques, mais a aussi élargi le spectre de ses interventions. Comme tous les défenseurs très actifs de cette région, il a cependant considérablement accru les risques qu'il encourt. Il ne les nie pas plus qu'il ne les minimise et dit avoir acquis, pour lui et sa famille, quelques réflexes supplémentaires. Avec toujours à l'esprit, dans ses différentes fonctions, le même impératif : que la justice soit rendue, et en particulier aux plus faibles. Les dossiers qu'il suit au tribunal, ou *via* l'Arche d'alliance, concernent ainsi essentiellement ceux que l'on range dans la catégorie des personnes les plus vulnérables : les femmes et les enfants.

Monsieur le juge ne réfute pas cette classification, il en souligne même toute la pertinence dans un pays marqué par un niveau de violence inouï. Déstabilisée par le génocide rwandais de 1994 et l'arrivée massive sur son territoire de réfugiés poursuivis par des soldats, la République démocratique du Congo (RDC) a basculé dans le conflit à partir de 1996. Malgré plusieurs initiatives de paix, le conflit a duré plus de dix ans et fait plus de trois millions de victimes. Il a impliqué de nombreux groupes armés congolais, gouvernementaux ou non, mais aussi des troupes des pays limitrophes, convoitant les très grandes richesses minières du sous-sol congolais. Aujourd'hui, la résolution de ce conflit reste parcellaire et fragile, en dépit des accords de Pretoria (2002) et de la période dite de transition close par l'élection présidentielle de décembre 2006 (qui a confirmé Joseph Kabila au pouvoir). L'embrasement est latent, en particulier dans les provinces Sud et Nord Kivu, à l'est, qui restent le théâtre d'affrontements intenses entre armée, milices et groupes armés d'opposition. Ces tensions figent celles qui existent entre

la RDC et son voisin le Rwanda. Dans ce contexte, les violences quotidiennes restent l'horizon de populations civiles véritablement prises au piège de ces luttes. Les structures familiales traditionnelles sont souvent éclatées, notamment en raison des déplacements et fuites incessants auxquels sont soumis les civils. Amnesty International, dans son rapport annuel 2008, estime à 1,4 million le nombre de personnes déplacées en RDC et à 320 000 le nombre de celles qui ont cherché refuge dans les pays voisins. Plusieurs centaines d'enfants sont encore dans les rangs de groupes armés congolais ou étrangers et dans certaines unités de l'armée. Et le programme gouvernemental d'identification et de démobilisation des enfants soldats, adopté assez rapidement après les accords de Pretoria, n'était que partiellement opérationnel à la fin de l'année 2007. Baudouin ne mâche pas ses mots à ce sujet et pointe sans ambages les responsabilités. Les autorités sont ainsi souvent prêtes à fermer les yeux sur les troupes qui enrôlent des enfants, les militaires prenant parfois du galon lorsque cela arrive. En extrayant des enfants des rangs de l'armée, en application du programme de démobilisation, Baudouin s'attire l'ire des commandants et doit régulièrement rappeler à sa hiérarchie qu'il exerce son métier dans le strict cadre de ses compétences de juge.

Et il ne peut que souligner les limites du travail induit par les très fortes tensions qui règnent au Nord et au Sud-Kivu et qui compromettent aussi les programmes de regroupement des familles mis en place par des ONG locales.

Au-delà du travail essentiel, patient et volumineux de recueil de plaintes concernant des violations des droits humains, l'Arche d'alliance a progressivement mis en place des programmes pour que ces violences reçoivent d'autres formes de réponses que celles que l'on peut espérer d'un système judiciaire dont on ne connaît que trop bien les défaillances. Le travail mené sur les violences sexuelles est à ce titre exemplaire. Véritable arme de guerre employée pour terroriser et humilier la population, ces viols commis par toutes les parties en présence dans une insoutenable sauvagerie n'ont pas cessé avec l'ouverture de la phase de transition et se poursuivent même dans les régions où la paix est revenue. La présence de troupes démobilisées, le climat de violence et d'impunité qui règne ont eu pour effet l'augmentation des viols commis notamment par des civils sur d'autres civils. Pour 2005, les Nations unies estimaient à 45 000 le nombre de viols commis en RDC. Ces chiffres donnent une idée de l'ampleur d'un phéno-

mène qui reste cependant difficile à déterminer. Le silence des victimes y contribue en partie ; celles et ceux qui osent parler risquent de fait l'exclusion sociale et la répudiation. Souvent, les personnes abusées sont jugées responsables de ce qui leur arrive. Baudouin n'y voit pourtant pas de fatalité et parle d'un travail persévérant à mener sur les mentalités pour dépasser les barrières coutumières et libérer la parole afin que tombent les tabous. Les programmes de médiation et de sensibilisation qu'il a contribué à mettre en place au sein de communautés et de couples procèdent de cette conviction. Progressivement, il responsabilise aussi les victimes, dont le silence encourage les auteurs.

Et il lui plaît de souligner le courage de ces femmes qui, dès 2005, ont amorcé une réflexion sur un projet de loi concernant les violences sexuelles. Baudouin est président du conseil d'administration de l'une d'entre elles, la Sofad (Solidarité des femmes activistes pour la défense des droits humains), qui œuvre à la réhabilitation des victimes de la violence sous toutes ses formes mais aussi pour renforcer la contribution des femmes à l'instauration d'une paix durable en assurant leur participation aux affaires politiques du pays. Mais il y en a beaucoup d'autres, et Baudouin a pu apporter ses compétences juridiques à cette mobilisation, a contribué à la vulgariser et à la faire connaître. La mobilisation s'est concrétisée en 2006 par l'adoption d'une loi sur les violences sexuelles. Elle définit le viol et renforce les procédures judiciaires et les peines prévues pour les violences sexuelles classées en seize catégories, dont le viol des hommes. Avancée certaine dans la reconnaissance du problème aigu du viol en RDC, elle ne s'est malheureusement pas accompagnée de l'instauration de mécanismes de mise en œuvre efficaces, et beaucoup reste à faire.

Des menaces constantes pèsent sur les ONG locales déployées dans cette zone de tension. Les autorités les assimilent même à des opposants politiques. Baudouin a énormément travaillé à la mise en réseau des associations, s'attachant notamment à sortir des frontières pour raisonner de manière plus globale. Il pilote ainsi le Réseau des défenseurs des droits de l'homme en Afrique centrale (Redhac), qui s'efforce de tisser des liens et de créer des réflexes de coopération entre défenseurs et ONG de cette partie de l'Afrique. Et c'est sans doute dans cette union que réside le plus grand espoir. Les défis restent pourtant importants, ne serait-ce que d'un point de vue technologique. L'accès à Internet, pourtant essentiel dans un pays

immense, grand comme quatre fois la France, reste embryonnaire. Les coupures de courant répétées sont un obstacle considérable. Mais la plupart des défenseurs de la région sont très jeunes et, s'ils ne disposent pas tous des outils, ils sont enclins à s'en emparer.

VIVIANE KITETE
(RÉPUBLIQUE DÉMOCRATIQUE DU CONGO)

LE VIOL COMME ARME DE GUERRE : FAIRE ENTENDRE LA VOIX DES VICTIMES

Juriste de formation, Viviane n'est pas avocate, mais elle en a l'éloquence. Inlassablement, elle plaide la cause des victimes de violences sexuelles en République démocratique du Congo (RDC), et particulièrement dans sa région du Nord-Kivu, à l'est du pays. Sa plaidoirie, tel un cri d'alarme, s'oppose au silence profond et à l'impunité auxquels se heurtent les victimes.

Viviane est une femme de caractère, qui ne craint pas de prendre des risques pour défendre ses convictions. Confrontée à la violence, omniprésente dans cette région où elle s'est installée avec son mari, loin de se décourager, elle décide d'utiliser ses armes de juriste pour tenter d'apporter une aide à ceux que la société rejette. Comme beaucoup d'autres femmes dans la région, Viviane se retrousse les manches et crée en 2001, à côté de son travail de représentante juridique, le Credd (Centre de rééducation pour l'enfance délinquante et défavorisée), qu'elle dirige. Elle coordonne en outre les activités de la Commission de lutte contre les violences faites aux femmes, qui rassemble 19 associations féminines locales. Elle se plaît à répéter que l'union fait la force ; ce pourrait être la maxime de ce collectif qui tente de travailler en synergie pour se répartir les tâches et venir en aide aux femmes victimes : prévention, soins et soutien médicaux mais aussi psychologiques, et par-dessus tout assistance judiciaire pour porter devant la justice les

coupables de ces crimes odieux et les faire condamner, dans l'espoir que cesse un jour l'impunité absolue qui règne encore aujourd'hui.

Apporter une aide aux femmes, faire reconnaître leurs souffrances et punir les coupables ne sont pas choses faciles tant sont nombreuses les victimes civiles de ce conflit qui a ravagé le pays pendant plus de dix ans. Des dizaines de milliers de femmes et d'enfants ont subi des sévices sexuels, et le Kivu (nord et sud), région frontalière du Burundi et du Rwanda où de nombreuses forces armées restent présentes, est encore le théâtre de heurts et de violences récurrents. Selon certaines associations locales, chaque jour, quelque 40 femmes sont violées dans l'est de la RDC.

Les violences sexuelles ont été et sont toujours utilisées de façon systématique par les forces combattantes. Véritables armes de guerre, elles sont destinées à déstabiliser les forces adverses, exercer des représailles, saper les valeurs fondamentales de la communauté, humilier les victimes ou s'assurer un contrôle par la peur ou l'intimidation. Vieilles femmes, fillettes, femmes enceintes, handicapées ou malades, personne n'est épargné, et les faits peuvent être perpétrés par un ou plusieurs hommes, à des moments différents, par des factions différentes. La cruauté est sans mesure : passages à tabac, menaces, actes de torture comme l'introduction d'objets dans le vagin (fusil, bout de bois, couteau, piments...), viols commis devant les membres de la famille ou relations sexuelles contraintes entre membres d'une même famille. La superstition et le fétichisme constituent une autre motivation chez certains combattants, qui semblent croire que le fait d'avoir des relations sexuelles avec un enfant prépubère ou une femme ménopausée les immunisera contre les maladies, notamment le sida.

Viviane souligne que les femmes sont triplement victimes ; atteintes dans leur chair et leur esprit, elles se retrouvent mises au ban de la société : dans ces milieux ruraux, une jeune femme qui a été violée n'a plus d'espoir de se marier. Des jeunes filles se retrouvent mères d'enfants dont personne ne veut. Et beaucoup sont contaminées par le virus du sida. Au déshonneur et à la honte s'ajoute le rejet de leur communauté, voire de leur famille.

Pour la majorité des observateurs internationaux, ce niveau endémique de violences sexuelles n'avait jamais été atteint dans un conflit. Et aujourd'hui, les viols se poursuivent car il n'existe aucune obligation de rendre des comptes, et les forces qui commettent de tels actes jouissent d'une impunité quasi totale. Dans ce

contexte difficile, où les groupes armés sont encore extrêmement puissants, et avec très peu de moyens, il faut beaucoup de courage et d'obstination pour oser parler de justice. Viviane doit régulièrement faire face aux critiques, qui vont parfois jusqu'aux menaces. On dénigre son travail, et des articles diffamatoires paraissent dans les journaux locaux, lui reprochant d'être une «révolteuse» de femmes qui cherche à transplanter les mentalités occidentales dans la culture africaine. On l'accuse aussi de parti pris tribal, ou encore de monopoliser l'attention et le soutien que lui portent des ONG internationales.

Malgré une certaine stabilité politique (les premières élections libres depuis quarante ans ont eu lieu en 2006), la RDC reste à tout point de vue à reconstruire. Les infrastructures, les administrations, les hôpitaux, les tribunaux mais aussi les routes pour s'y rendre sont défectueux et n'ont toujours pas les moyens de fonctionner correctement. La mauvaise gestion des affaires publiques, le délabrement des infrastructures et le sous-investissement nuisent considérablement à l'efficacité de services sociaux de première importance. Trop peu de femmes dans la police ou la magistrature pour entendre les victimes. Trop peu d'avocats pour porter les plaintes, trop peu de magistrats pour les instruire et juger les coupables, et des prisons trop vétustes pour accueillir les condamnés… Trop peu de médecins, de psychologues, de médicaments et de dispensaires pour soigner toutes les victimes… Trop de corruption à tous les niveaux… Trop d'interférences politiques, militaires… Et trop de frais, tous à la charge de la victime. Par où commencer?

Mais Viviane fait face, elle témoigne encore et toujours, dès qu'elle en a l'occasion. Dans la presse et les radios locales, pour atteindre des populations reculées qui ne connaissent pas leurs droits et les encourager à briser le silence, ainsi qu'à l'international, dans sa région tout d'abord, où des structures comme le Réseau des défenseurs des droits de l'homme en Afrique centrale (Redhac) se sont créés pour avoir plus de poids, mais aussi bien au-delà de la RDC, pour tenter de sensibiliser et faire réagir une communauté internationale qui reste sourde à l'appel des victimes. En 2005, à l'occasion de la Journée internationale des femmes, invitée par Amnesty International, qui soutient son travail depuis plusieurs années, elle vient en France pour témoigner des difficultés et demander des soutiens, notamment pour la mise en place d'un centre d'accueil qui accompagnerait toutes les étapes du traitement et de la réadaptation des victimes. L'accès aux soins et à la justice serait facilité. Et surtout, cela permettrait aux femmes

de devenir indépendantes en leur offrant une formation qui les préparerait à un métier, grâce à quoi elles pourraient se concentrer sur autre chose que ce qu'elles ont vécu.

Lors de son séjour, elle a été reçue et écoutée avec déférence et respect par tous les partenaires (institutionnels ou non) et les médias français, même si elle est consciente de la difficulté de maintenir la pression une fois l'émotion du moment passée. Elle a fait le voyage peu de temps après la naissance de sa fille Mariam. Âgée de quelques semaines à peine, celle-ci a été de toutes les rencontres, et de tous les discours.

C'est pendant la préparation de ce voyage que Viviane rencontre Titouan Lamazou, navigateur, artiste peintre, ambassadeur de bonne volonté de l'Unesco, qui accepte de la parrainer et va même lui rendre visite à Beni, sa ville, alors qu'il sillonne le monde pour son projet *Femmes du monde* avec l'Unesco. Cette visite en France et ces rencontres lui apportent une notoriété certaine, gage de protection une fois rentrée au pays.

Invitée à nouveau à témoigner en France, en mars 2008, lors d'un colloque sur les violences faites aux femmes dans les conflits armés, elle participe à l'élaboration d'indicateurs internationaux mesurant l'implication concrète des femmes dans les situations de conflits et les efforts de reconstruction et de réconciliation. À cette occasion, Viviane retrouve Titouan, qui reste, malgré l'éloignement, un soutien indéfectible et qui la guide dans son exposition *Femmes du monde* au musée de l'Homme, où figure son portrait. Profondément marqué par ce dont il a été témoin dans l'est de la RDC, Titouan envisage d'y retourner pour aider à la mise en place de structures d'accueil et de projets de réhabilitation. Ensemble, ils explorent des pistes de travail commun.

Mais malgré les réjouissances des retrouvailles et le réconfort que lui apportent toutes ces rencontres, Viviane ne peut que déplorer le peu d'attention que suscite le sort de ces milliers de femmes dans son pays. Elle évoque parfois sa fatigue face à une situation qui n'évolue que trop peu, et souligne que l'ampleur des chiffres peut donner le vertige et empêcher de prendre conscience du parcours de chacune de ces femmes dont elle est la porte-parole. Pour autant, elle le sait, elle ne cessera jamais de se mobiliser, ne serait-ce que pour donner un meilleur avenir à ses filles, et à toutes les femmes de son pays.

SINANGNAN KONÉ (CÔTE D'IVOIRE)

AUX CÔTÉS DES VICTIMES DE LA GUERRE CIVILE

Sinangnan est ivoirien, de naissance, précise-t-il, vaguement inquiet. Cette précision longtemps anodine a progressivement pris une importance cruciale en Côte d'Ivoire. Aujourd'hui, dans un pays où 60 ethnies sont recensées, une telle précision est courante et traduit les antagonismes séparant à présent des communautés qui ont longtemps coexisté pacifiquement.

La Côte d'Ivoire a longtemps été une terre d'accueil et de brassage. Des paysans originaires pour l'essentiel du Mali et du Burkina Faso ont participé à la mise en valeur des terres riches en café et en cacao. En 1993, la disparition du père de l'indépendance ivoirienne, Félix Houphouët-Boigny, entraîne une rupture et se traduit par la montée en puissance du concept de l'ivoirité. Cette théorie, développée dès 1996, se fonde sur des motivations économiques et psychologiques (crise économique et quête d'une identité culturelle nationale pour répondre aux inquiétudes liées à la forte présence d'étrangers). Henri Konan Bédié, élu à la tête de l'État en 1995, en fait très rapidement un levier essentiel de sa domination politique. Il l'utilise pour écarter de la scène électorale l'un de ses principaux opposants politiques, Alassane Ouattara, accusé de ne pas être ivoirien de père et de mère.

Ce concept de l'ivoirité dépasse très vite la seule scène politique pour imprégner la société dans son ensemble et nourrir de violences toutes les relations sociales.

Sinangnan, qui a grandi à Abobo, un des quartiers les plus cosmopolites d'Abidjan, est adolescent lorsque cette partie de la ville bascule dans la violence, au début des années 1990. Certains habitants, étrangers ou originaires du nord du pays et qui vivaient là depuis de nombreuses années, deviennent la cible d'attaques et d'humiliations répétées. Beaucoup préfèrent partir, quand ils ne sont pas expropriés.

Les tensions sociales et politiques redoublent fin 1999 avec le renversement d'Henri Konan Bédié par l'armée puis, en septembre 2002, avec la tentative de renversement de Laurent Gbagbo, qui avait été élu président en 2000. Le pays

sombre alors dans le conflit, matérialisé par la partition du territoire entre le sud et le nord. Le clivage s'appuie sur l'exacerbation de clivages interethniques ; opposition entre « vrais » Ivoiriens et populations dites « allogènes », originaires du nord du pays ou des pays voisins. Elle est renforcée par d'importants litiges fonciers.

Ces affrontements se traduisent par des violences d'une ampleur inédite en Côte d'Ivoire. Les civils sont la cible d'attaques constantes de la part des forces armées gouvernementales ou des groupes d'opposition armés. Les manifestations pacifiques sont réprimées, le travail des journalistes est entravé. Les conflits sur le droit à la terre se multiplient.

Paradoxalement, ce chaos politique et social favorise l'éclosion de plusieurs ONG. Très vite, elles gagnent la confiance des civils, à qui elles apportent des aides concrètes et immédiates. Créé en octobre 2000 à Abidjan (sud du pays), le Mouvement ivoirien des droits humains (Midh) se distingue rapidement par sa capacité à prendre en charge les victimes loin des clivages partisans.

Sinangnan qui, entre-temps, a passé son bac et commencé des études de physique-chimie, assiste à la naissance de ces ONG. Lassé de n'être que le témoin impuissant des violences et des tensions quotidiennes, attentif aux événements qui secouent son pays, il frappe à la porte du Midh en 2001. D'abord bénévole, il accueille et oriente les victimes et leurs familles qui bénéficient de conseils juridiques et d'un soutien psychologique. Très rapidement, en 2005, il devient salarié de l'association et on lui confie des missions d'enquête afin de recueillir le témoignage de victimes.

Confronté chaque jour à ces témoignages, Sinangnan mesure encore davantage l'ampleur de ce conflit dont les civils paient un lourd tribut. Il découvre surtout à quel point ce travail difficile et éprouvant – entendre toute la journée la souffrance exposée – se révèle crucial. Le travail ne manque jamais.

L'ensemble de ces témoignages dessine une situation effective que Sinangnan veut faire connaître. Avec le CVCI (Collectif des victimes de Côte d'Ivoire, qui tente de regrouper et d'organiser les plaintes des victimes de différentes violations), il contribue à alerter les médias et l'opinion internationale. Aux yeux de ces défenseurs des droits humains, ce relais est le seul moyen de toucher les autorités, souvent plus sensibles aux pressions internationales qu'aux cris de la rue. Ces alertes sont d'autant plus nécessaires que les autorités font tout pour contrôler et verrouiller l'information. De nombreux médias nationaux sont soumis au gouverne-

ment. Les journalistes étrangers ne sont pas les bienvenus. Les émetteurs de la radio qui relient le pays à l'étranger sont régulièrement coupés. Jean Hélène, correspondant de Radio France internationale, est assassiné par un gendarme le 21 octobre 2003.

Les autorités et les groupes d'opposition armés, sensibles à la médiatisation grandissante du conflit, comprennent très vite la menace que constituent ces ONG qui traquent la vérité : les contrôles et les entraves sont innombrables. Il faut alors développer des trésors de stratégie pour continuer à travailler, et Sinangnan devient un expert en la matière ; il déjoue ou contourne les nombreux contrôles pour accéder aux victimes et continuer son patient travail de recueil de témoignages. L'enjeu est aussi de maintenir la confidentialité sur l'identité de ces victimes, qui prennent des risques réels en se confiant à lui. Ayant gagné la confiance de personnes qui osent témoigner, il en conçoit une très grande responsabilité ; pour beaucoup, il représente le seul espoir qu'un jour justice leur soit rendue.

Dans un pays où l'information est instrumentalisée par toutes les parties du conflit, Sinangnan sait que les témoignages qu'il collecte peuvent devenir des outils politiques. Il est alors essentiel et primordial de rester objectif, de pouvoir vérifier, recouper et analyser les témoignages pour être certain de fournir une information qui soit incontestable.

Ses études en physique ne l'avaient pas destiné à ce travail. Le contexte de son pays en a décidé autrement. Lui dit en souriant que la rigueur et la précision acquises dans son cursus scientifique sont des qualités dont il doit faire preuve dans son travail d'enquête. Assez vite cependant, il a éprouvé le besoin de consolider son inestimable expérience de terrain : en 2005, soutenu par Amnesty International, il reprend des études de droit et se spécialise dans les droits humains. Progressivement, il devient un défenseur de premier plan et publie régulièrement des articles sur ces questions.

Quand il quitte le Midh en décembre 2005, ses partenaires internationaux continuent à le suivre et à le soutenir. Par discrétion, respect ou nécessité, Sinangnan ne s'attarde pas sur cette question, préférant insister sur la constance de son travail. En solitaire ou au sein d'une structure, il reste défenseur des droits humains, du côté des victimes en quête de justice. Les liens qu'il a su tisser avec d'autres

associations nationales ou internationales en font une personnalité incontournable et indispensable.

Il reste d'ailleurs plus que jamais résolu à lutter : « Toutes ces années, j'ai surmonté des risques, des intimidations et des menaces, traversé des zones dangereuses infestées par des milices armées, rien ne pourra entamer ma détermination. »

Elle est précieuse pour ce jeune homme, dont les choix n'ont pas été et ne sont pas sans incidence sur sa vie quotidienne et celle de sa famille. Il reste discret quand il s'agit d'aborder les difficultés à travailler seul dans une situation économique précaire : il est convaincu que la défense des droits de l'homme et des victimes est à ce prix. Et puis il précise qu'il n'est pas si seul. Il est en effet impliqué dans un réseau qui rassemble des défenseurs de toute l'Afrique de l'Ouest. Ensemble, ils participent à l'émergence d'une société civile fragile mais fondamentale face aux faillites des États.

COLETTE LESPINASSE (HAÏTI)

SOUTIEN AUX MIGRANTS ET RÉFUGIÉS

Depuis quelques années, la question des conditions de vie des travailleurs migrants haïtiens en République dominicaine (en particulier dans les champs de canne à sucre) a bénéficié d'une inédite et précieuse attention : reportages, films et colloques ont contribué à une prise de conscience mettant en avant le travail mené par plusieurs organisations internationales, dont Amnesty International.

Ce travail de médiatisation et d'exposition au niveau international, Colette Lespinasse le salue et s'en réjouit tant elle a eu et a encore souvent l'impression de prêcher dans le vide. Elle se réjouit aussi que d'autres qu'elle s'indignent des conditions de vie faites à ses compatriotes et usent de leviers différents pour donner à voir ce qu'elle dénonce. Alors, quand elle le peut, elle n'hésite pas à apporter sa précieuse expertise de « terrain ». Ainsi, c'est en France qu'elle se rend au

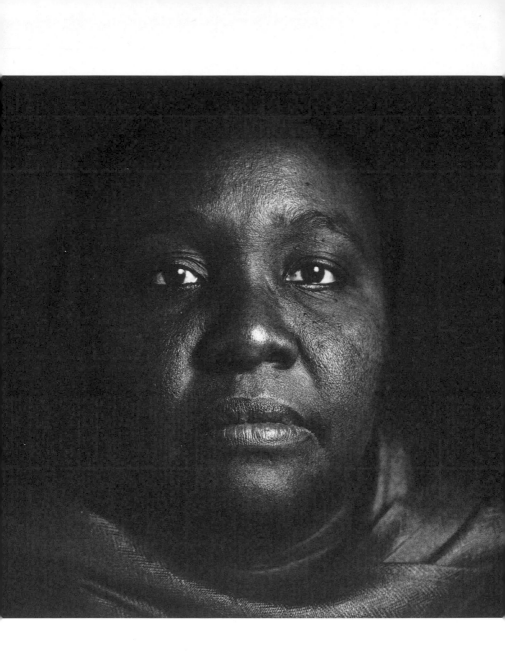

printemps 2007 pour participer à l'événement *Esclaves au paradis*, série de rencontres et de débats fondés sur le travail photographique de Céline Anaya Gautier dénonçant les conditions de vie des migrants haïtiens dans les *bateyes*. Colette y retrouvera Pedro Ruquoy (voir son portrait p. 114), qui a consacré une partie de sa vie à ces travailleurs migrants du côté dominicain avant de devoir fuir en raison des menaces qui pesaient sur lui.

Mais se déplacer et partir témoigner à l'étranger, même si elle en mesure l'importance, est une décision compliquée pour la directrice du Garr (Groupe d'appui aux réfugiés et rapatriés). Sa place est en Haïti. Chaque jour, c'est à Port-au-Prince, dans les bureaux de cette plate-forme de neuf ONG, qu'on a le plus besoin d'elle. Elle le dit et le répète, elle qui consacre son temps aux questions de migrations, c'est depuis Haïti qu'elle estime devoir et pouvoir faire concrètement évoluer la situation et les mentalités. Un temps journaliste – elle continue d'ailleurs à intervenir régulièrement sur les ondes –, son engagement s'est rapidement concrétisé avec sa prise de responsabilités dans diverses ONG. En 1999, elle prend la tête du Garr et en coordonne les activités. L'objectif est de promouvoir et de défendre les droits des migrants haïtiens.

Haïti a une longue tradition d'émigration : l'instabilité politique, la pauvreté chronique et l'insécurité ont été et restent les principales causes de départ. Et si la diaspora haïtienne est majoritairement présente en Amérique du Nord, avec près d'un million d'Haïtiens entre États-Unis et Canada, beaucoup s'orientent vers la République dominicaine voisine. Selon les estimations du Garr, ils seraient entre 500 000 et 800 000. Cette émigration reste régie par des principes sur lesquels Colette revient volontiers : « La présence actuelle de milliers de travailleurs haïtiens en territoire dominicain n'est pas le fruit d'un hasard, mais le résultat d'une politique économique enclenchée dans un contexte géopolitique très particulier, caractérisé par l'occupation de plusieurs pays de la région en vue de l'expansion du capitalisme. À cette fin, les Américains ont simultanément occupé les deux pays (1915 pour Haïti et 1916 pour la République dominicaine) et ont intensifié la production sucrière en installant les usines du côté dominicain et en puisant la main-d'œuvre en Haïti. »

Inlassablement, Colette insiste alors sur cette ligne de partage qui, sur la même île, plus que deux pays, distingue deux destins. Volontairement schématique, elle résume la situation actuelle : d'un côté un pays en crise quasi permanente et,

de l'autre, un paradis pour touristes. Une frontière qui sait être poreuse quand cela sert des intérêts économiques à ce point puissants qu'ils président aux flux migratoires de main-d'œuvre haïtienne. Chaque année, ils seraient au moins 20 000 travailleurs à passer la frontière. La plupart sont « aidés » par des passeurs qui, souvent, en plus de leur extorquer leur argent, confisquent aussi leurs papiers. Beaucoup d'Haïtiens qui vivent et travaillent en République dominicaine le font ainsi hors de tout cadre légal, ce qui accroît leur précarité. Plutôt que d'avoir gagné l'eldorado tant espéré, ils survivent au bas de l'échelle, acceptent les postes les moins bien payés, sont soumis à la discrimination en raison de leur couleur de peau, de leur langue. Beaucoup vivent presque « cachés », en particulier dans les plantations de canne à sucre. Ils sont cette main-d'œuvre bon marché sur laquelle repose à 90 % l'agriculture dominicaine.

À Port-au-Prince, les bureaux du Garr sont souvent le premier lieu d'accueil pour ces migrants qui, pour la plupart, n'avaient pas fait le choix de revenir dans un pays, parfois inconnu. Le retour n'est jamais simple.

Apporter une aide concrète et des conseils juridiques aux migrants est un moyen de favoriser leur (ré)insertion dans une société haïtienne précaire. Le Garr se mobilise aussi pour battre en brèche les nombreux préjugés qui les frappent. Par ce travail, Colette entend ainsi contribuer à mieux faire comprendre à ses compatriotes les questions de migrations, à en exposer et en interroger les motifs, à en dévoiler les conditions, souvent extrêmes. Elle anime des rencontres et des débats, livre ses analyses dans des revues et surtout des émissions de radio, plus facilement accessibles ; ainsi, elle capitalise une précieuse expertise. Dans un pays marqué par une instabilité politique chronique et des tensions sociales très fortes, son combat peut passer pour vain. Pas dupe, Colette préfère y croire que de céder à un pessimisme quasi de rigueur.

Son ambition, elle ne s'en cache pas, est aussi de contribuer à établir des relations plus solidaires et plus justes entre Haïti et la République dominicaine. Et à cet égard, elle est obstinée parce qu'elle a une conviction : le changement viendra de la population. Dès 1982, elle s'est lancée dans la mise en place d'ateliers d'apprentissage du créole (langue majoritaire d'Haïti) et de l'espagnol (langue officielle de la République dominicaine) ainsi que d'échanges culturels avec des institutions, personnalités ou groupes haïtiens et dominicains. Objectifs : faire évoluer les mentalités et rétablir la confiance entre les deux peuples pour faire progres-

sivement infléchir les politiques menées par les autorités des deux pays qui, selon elle, devraient adopter un accord pour reconnaître la réalité et les enjeux de la migration et trouver des solutions. Dans cette attente, elle ne tait pas ses critiques, et dénonce en particulier l'hypocrisie des autorités dominicaines qui permettent que les migrants haïtiens soient pris et jetés selon les besoins.

D'ores et déjà, Colette mesure les conséquences de la récente mobilisation internationale : « Je sens qu'il y a une vraie sensibilisation de l'opinion publique, des journalistes. Le problème est maintenant bien ancré. Les gouvernements ne peuvent plus rester indifférents. On ne pourra plus revenir en arrière. »

Sa plus grande crainte serait alors d'être, pour des raisons de sécurité, à son tour contrainte de quitter Haïti.

PENEAS LOKBERE (INDONÉSIE)

LA FORCE DU COLLECTIF POUR LES VICTIMES INDIGÈNES

Étudier les sciences politiques à l'université de Jayapura favorisait pour Peneas une connaissance approfondie des enjeux politiques de son pays et de leurs aspects juridiques ; il le reconnaît. Pour autant, il n'aurait jamais pu imaginer endosser le rôle du porte-parole et du leader qu'il est devenu en Indonésie dans la défense des droits humains.

Jayapura est la capitale de la province de Papouasie occidentale, dans l'est de l'Indonésie. Cette province, après avoir été sous domination néerlandaise, n'a été rattachée à l'Indonésie qu'en 1963, au terme d'une longue guerre de décolonisation commencée à Java et Sumatra quatorze ans plus tôt. C'est encore aujourd'hui un foyer de tensions continues, plus ou moins vives, ayant entraîné la mort de plusieurs milliers de personnes. En 2000, l'État indonésien a créé pour cette province un statut spécial (confirmé par la Constitution de 2001) censé lui conférer un certain degré d'autonomie. Mais ce statut, imposé sans véritable consultation et qui ne répondait pas à certaines préoccupations (notamment sur la

question de la violation des droits de l'homme), a été rejeté par le présidium du Conseil papou. Et, en 2003, la division de la province en trois nouvelles provinces a été décidée par décret présidentiel, sans consultation du parlement provincial de Papouasie et du Conseil représentatif du peuple, comme le prévoyait pourtant la loi sur l'autonomie spéciale. Le conflit qui oppose les forces de sécurité et les indépendantistes, aujourd'hui qualifié de « basse intensité », n'en reste pas moins marqué par des atteintes répétées aux droits humains. Année après année, les forces armées se rendent responsables d'attaques contre des manifestants indépendantistes pacifiques, d'exécutions extrajudiciaires et d'actes de torture. Certaines opérations sont menées collectivement contre des communautés, d'autres sont plus isolées. Toutes entraînent des réponses violentes de la part des indépendantistes, créent un climat de défiance et alimentent une peur permanente chez les habitants de la province. Alors, comme tous ceux qui vivent en Papouasie occidentale, Peneas, Papou de l'ethnie nduga, né à Mapduma, n'a pu que se sentir « concerné » par ces questions dès son plus jeune âge.

Ce sentiment a pris une autre ampleur le 7 décembre 2000. Les forces de l'ordre surgissent alors en pleine nuit sur le campus, investissent la résidence universitaire pour mener une opération de représailles après l'attaque du commissariat d'Abepura un peu plus tôt dans la soirée. Les policiers frappent sans ménagement lors de ce que beaucoup décriront comme un déchaînement de violence. Une centaine d'étudiants sont conduits au poste de police, où ils subissent des interrogatoires musclés. Incapable d'établir le lien entre les étudiants arrêtés et l'attaque du commissariat, la police doit très vite les libérer : aucune charge ne peut être retenue contre eux. Un étudiant décède lors de l'intervention de la police sur le campus, deux autres meurent au poste de police et sept succombent un peu plus tard des suites des mauvais traitements subis cette nuit-là. Patianus, le frère de Peneas, est de ceux-là.

Même s'il a parfois eu l'impression de se répéter, tant il a dû dire et redire ces faits, Peneas les expose toujours avec une sincérité douloureuse. Cette nuit-là, il a été confronté à cette violence arbitraire devenue le lot de tant d'habitants de Papouasie. Mais il a refusé d'emblée de considérer que de tels actes puissent être qualifiés d'ordinaires. Sa douleur, physique et morale, Peneas ne peut ni ne veut l'oublier. Il n'a pas pu non plus se résigner à rester sans réponses et à reprendre une vie normale. Cette nuit-là, sa vie a basculé. S'il peut comprendre la peur de

la plupart de ses amis, lui éprouve un besoin impérieux d'en parler. Tant mieux, parce que c'est ce qu'il a dû faire à de nombreuses reprises, après avoir décidé d'obtenir justice et réparation : répéter les faits, les brûlures de cigarette, le vinaigre sur les plaies…

Alors, parce qu'il a osé témoigner, très vite des ONG ont pris en charge l'« affaire d'Abepura » puis ont exercé des pressions pour qu'une commission d'enquête soit mise en place par la Commission nationale des droits de l'homme, preuve du retentissement de cette affaire au niveau national. Peneas salue cette avancée mais veut être certain que sa voix et celles des autres seront entendues et bien prises en compte. Un an et demi après le drame, en avril 2002, il a décidé de créer la Communauté des survivants d'Abepura (KSA en indonésien). Pour la première fois dans cette province reculée en proie à la violence, des victimes s'unissent pour faire valoir leurs droits devant la justice. Peneas en est devenu l'évident porte-parole. Entendu à plusieurs reprises par les juridictions en charge de l'affaire, il a fini par témoigner en 2004 devant la Commission internationale des droits de l'homme de Genève, pour obtenir justice pour son frère et l'ensemble des victimes.

Et cette parole porte ses fruits. En septembre 2005, près de cinq ans après les faits, s'est ouvert à Makassar, devant le tribunal permanent chargé des droits de l'homme, le procès de deux officiers. Sur 25 inculpés, l'avocat général avait décidé qu'eux seuls pouvaient alors être jugés. Le verdict est violent pour les victimes. Les deux officiers sont acquittés ; ils monteront même en grade juste après le procès. Surtout, les victimes se voient déboutées de leur demande de compensation. La procédure d'appel n'a fait que confirmer ce premier jugement.

L'échec est évident pour les victimes, qui se sentent privées de justice ; vivant dans des zones reculées, beaucoup ignorent qu'ils disposent d'un recours pour faire valoir des droits qu'ils connaissent insuffisamment. Peneas le sait mais souligne malgré tout le succès de leur démarche collective au sein du KSA : ils sont les seuls à avoir pu faire entendre leur voix devant un tribunal.

Il aurait pu en rester là, et se résigner définitivement. Mais le basculement provoqué par cette nuit de décembre 2000 est profond et durable. Désormais, il ne conçoit sa vie que dans l'engagement auprès des victimes. Le travail mené pendant cinq ans pour conduire au procès lui a aussi permis, au-delà du cas d'Abepura, de mesurer l'ampleur des violations des droits humains en Papouasie occidentale. Surtout, il sait l'influence que peut avoir un collectif, et conscient

de l'isolement de victimes qui, démunies devant la justice, ont souvent peur de témoigner.

L'année du procès, en 2005, il a rejoint l'Association indonésienne des droits de l'homme et d'assistance légale pour continuer à apporter des réponses collectives aux violations des droits humains. Mettant à profit l'expérience acquise avec la Communauté des survivants d'Abepura – qui, en dépit du verdict de 2005, continue d'explorer d'autres voies pour accéder à la justice –, Peneas épaule progressivement d'autres victimes d'opérations de répression menées par les forces de l'ordre et restées sans suite. Il dénonce le climat de peur, de méfiance et d'anxiété qui résulte du déni de justice.

Il insiste sur les tensions nourries par un déploiement continu des forces de sécurité dans la province alors que les dispositions liées au statut spécial d'autonomie en Papouasie occidentale ne sont toujours pas ou quasiment pas appliquées. Il en reste là pour l'analyse, s'empresse d'ailleurs de préciser qu'il ne prend pas position sur la question de l'indépendance de la province. En politologue chevronné, il maîtrise très bien tous ces enjeux mais sait qu'il n'a rien à gagner à politiser la défense des droits humains, sauf à faire le jeu des autorités. Sa priorité reste la défense de ceux qui sont ou ont été privés de droits.

Le mouvement dont il est à présent un porte-parole reconnu n'a pas besoin d'être fragilisé. Il est encore trop récent et, étant donné l'ampleur des violations présentes et passées, exige des soutiens. Alors cette parole avec laquelle il surmonte sa douleur et peut exiger que la justice soit faite, il ne l'économise pas.

ABDOULAYE MATH (CAMEROUN)

POUR L'ÉTAT DE DROIT

Quinze ans d'activités et quinze ans d'embûches n'ont pas entamé la détermination d'Abdoulaye Math, président du Mouvement pour la défense des droits de l'homme et des libertés (MDDHL). Basé à Maroua, dans le nord du Cameroun, c'est une des rares ONG qui a réussi à se maintenir aussi longtemps dans cette région.

Dès la création de l'ONG en 1993, Abdoulaye s'est fixé comme objectif de défendre et de promouvoir l'ensemble des droits énoncés par la Déclaration universelle des droits de l'homme de 1948. La Charte africaine des droits de l'homme et des peuples est aussi un texte de référence pour ses activités.

Mais l'implantation du MDDHL au Cameroun l'expose à de très vives tensions avec les autorités. Bien que ce pays soit une république dotée d'un système parlementaire et multipartite, le pouvoir est, depuis les premières années d'indépendance, resté concentré dans les mains d'un seul parti ; depuis 1982, Paul Biya détient en effet toutes les rênes du pouvoir et son parti, le Rassemblement démocratique du peuple camerounais (RDPC), dispose de majorités plus que confortables. Différents scrutins électoraux (présidentiels et législatifs) se sont succédé. Majoritairement critiquées par les observateurs internationaux, qui en ont dénoncé les nombreuses irrégularités (la manipulation des listes électorales, entre autres), ces élections n'ont fait que renforcer la concentration du pouvoir et ont conduit le processus démocratique dans l'impasse.

Le régime camerounais donne au président le contrôle de l'appareil législatif ; il a le pouvoir de gouverner par décret. C'est ainsi que Paul Biya a pu amender la Constitution pour rallonger le mandat présidentiel (afin de lui permettre de se représenter en 2011) et renforcer sa mainmise sur le pouvoir. L'appareil judiciaire quant à lui, sous l'influence de l'exécutif, est corrompu et inefficace.

Dans ces conditions, bien que la loi garantisse le respect des libertés fondamentales, les entraves à la liberté d'association et d'expression sont extrêmement courantes. Le pouvoir doit en effet assurer sa domination. Dans cette logique de contrôle et de répression, opposants politiques et défenseurs des droits humains sont placés sur un même plan, accusés de mettre en cause l'exercice du pouvoir, même si leurs motifs et leurs modes d'action sont radicalement différents. Les autorités entretiennent la confusion en jouant de l'attitude de certaines ONG, sujettes à caution, pour jeter l'opprobre sur l'ensemble des ONG et les dénigrer. La rigueur du MDDHL rappelle au contraire que les autorités devraient agir en partenaires plus qu'en ennemis dans le travail de défense et de promotion des droits humains.

Défendre les droits humains prend une importance toute particulière dans un tel contexte, et Abdoulaye en a très vite fait l'expérience, comme la plupart des défenseurs camerounais. La question de la persistance de son activité n'est alors

pas la moindre. En juriste chevronné, Abdoulaye sait aussi que les ONG de défense des droits de l'homme ont un rôle d'aiguillon à tenir. Au sein d'une société civile balbutiante et fragile, elles fixent un cap : celui de la réalisation de l'État de droit. Les différentes entraves qu'il a dû surmonter dès le début, loin de le décourager, l'auraient presque conforté. Elles se font de plus en plus vives, telles les menaces de mort qu'il a reçues au printemps 2008. Sans doute se sent-il aussi soutenu par l'attention dont il bénéficie hors des frontières de son pays, en Europe et aux États-Unis. Il sait cependant que la protection résultant de cette vigilance est toute relative. Les appels urgents régulièrement lancés en sa faveur par de grandes ONG internationales telles qu'Amnesty International ou l'Observatoire pour la protection des défenseurs de la FIDH et de l'OMCT sont certes des garants, mais accroissent aussi sa visibilité et celle des violations des droits de l'homme. Alors forcément, les autorités s'agacent d'une telle publicité, et ne se privent pas de le lui faire savoir.

En 2003, après qu'il eut contribué à des missions d'enquête destinées à la publication d'un rapport de la FIDH sur l'usage de la torture et sur l'impunité, Abdoulaye, au même titre que d'autres membres rencontrés par les enquêteurs, a fait l'objet d'une campagne de dénigrement et de harcèlement. Accusé de trahison du pays par la presse locale, il a été convoqué plusieurs fois par la police ou la gendarmerie pour s'expliquer sur sa contribution au rapport et fournir aux autorités des détails sur les victimes qui y étaient mentionnées. En 2002, alors qu'il était à Douala (capitale économique du pays) pour rejoindre Dublin et participer à une rencontre internationale avec plusieurs ONG et institutions, il est arrêté et son passeport lui est confisqué. Les autorités font en effet tout pour l'empêcher d'amplifier la résonance qu'il entend donner à son travail. Déjà en 1997, il avait eu à faire face à ce genre d'entrave. Alors qu'en début d'année, le Cameroun connaissait un de ces processus électoraux dont les entorses étaient dénoncées par les défenseurs des droits de l'homme et les observateurs, Abdoulaye avait été arrêté sur le tarmac de l'aéroport de Maroua ; il s'apprêtait à prendre un vol qui devait l'emmener aux États-Unis, où il avait été invité pour bénéficier d'un programme de formation. Quelque temps auparavant, il avait organisé et accueilli une conférence sur la question des violations des droits de l'homme dans le nord du Cameroun, qui avait bénéficié d'un important écho. On l'accuse en fait de vendre des médicaments sans licence. Il est vite libéré faute de preuve et son procès, annulé, le dossier ayant « disparu » du tribunal.

Mais entraves et représailles ne sont pas uniquement liées à ses relations avec l'étranger. Et, comme pour la plupart des défenseurs du Cameroun, c'est au quotidien qu'elles se manifestent le plus, avec une ampleur variable. Depuis la création du MDDHL, Abdoulaye a ainsi fait l'objet de nombreuses gardes à vue et convocations par les autorités judiciaires, pour les motifs les plus divers. À ce jour, plus d'une dizaine de procédures judiciaires ont été ouvertes contre lui. Accusé d'abus de confiance dans l'une d'entre elles, il a été condamné à huit mois de prison avec sursis et à payer des dommages et intérêts pour une affaire montée de toutes pièces, et malgré l'absence de preuves.

Ces processus d'intimidation témoignent de la difficulté à faire reconnaître comme légitime l'activité de défense des droits de l'homme par les autorités mais aussi par la population.

Alors qu'Abdoulaye est sans cesse contraint de répondre de ses actes, que les procédures intentées contre lui sont lentes et longues, que les menaces sont constantes, sa persévérance et son opiniâtreté forcent le respect. Et le patient travail mené par le MDDHL, fait d'enquêtes de terrain et d'actions de sensibilisation auprès des populations, n'a peut-être rien du coup d'éclat mais apparaît, dans ces conditions, presque extraordinaire.

Les obstacles auront beau se multiplier, les activités auront beau être limitées, voire entravées, la conviction qui fonde l'engagement d'Abdoulaye ne pourra être entamée.

Sa persistance en est la preuve.

RADHIA NASRAOUI (TUNISIE)

UNE AVOCATE EN LUTTE

« C'est le pouvoir tunisien qui a fait de moi ce que je suis. » C'est ainsi que Radhia Nasraoui aime se présenter, non sans une certaine malice. Avocate engagée depuis plus de trente ans en faveur des droits de l'homme, elle est très vite

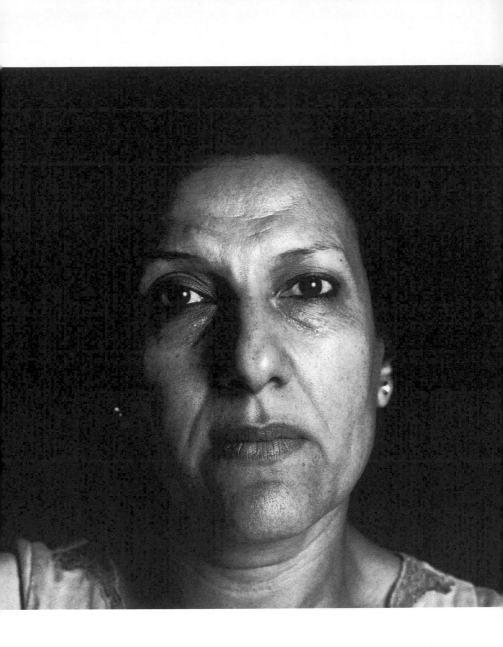

devenue une cible et un sujet d'agacement pour les autorités tunisiennes, qui ont tout entrepris pour qu'elle renonce à ses engagements. Mais Radhia n'est pas du genre à céder. Les très nombreuses épreuves qu'elle a rencontrées ne l'ont pas dissuadée ; elles ont au contraire renforcé ses convictions... Cette résistance est pour le pouvoir une provocation supplémentaire.

C'est au milieu des années 1970 que Radhia, tout juste diplômée, a fait ses premières armes dans la défense des droits humains. Son pays est alors en proie à une vague de contestations populaires, et les mobilisations étudiantes et syndicales sont réprimées par le pouvoir de Bourguiba. En 1976, à 25 ans, stagiaire dans un cabinet d'avocats, Radhia convainc des confrères de défendre des étudiants dans ce qui s'est révélé être une nouvelle vague de procès politiques. Deux ans plus tard, la grève générale ouvrière de janvier 1978 se termine dans le sang, et les autorités montent des procès de toutes pièces. Radhia est à nouveau sur le front. C'est dans ce contexte qu'elle rencontre Amnesty International, qui avait dépêché sur place une représentante.

Rapidement, Radhia monte son propre cabinet et découvre à quel point les droits les plus élémentaires sont bafoués quelle que soit l'affaire traitée. Elle devient alors une « spécialiste » des procès politiques ; elle en a bien saisi les enjeux, tant en termes de relais que de leviers, et approfondit ses liens avec les organisations internationales. Pour Amnesty International, elle devient un contact précieux, donnant des informations et relayant en Tunisie les actions de l'ONG.

L'activisme de cette jeune avocate n'est évidemment pas du goût des autorités, qui l'accusent de nuire à l'image de son pays. En outre, Radhia est devenue l'épouse d'un des plus fervents opposants au régime, Hamma Hammami. Il est en effet le porte-parole du Parti communiste des ouvriers de Tunisie (PCOT), interdit comme l'ont été tous les partis d'opposition, ce qui a valu à Hamma plusieurs procès et de longues périodes de clandestinité.

Tous les choix personnels ou professionnels de Radhia gênent les autorités, qui se montrent de plus en plus dures avec elle. Ce qui était de l'ordre du supportable sous Bourguiba devient intenable avec l'arrivée au pouvoir de Ben Ali en 1987. Le pouvoir, soucieux de donner de la Tunisie une image moderne, ne tolère aucune dissonance. Opposants politiques, médias indépendants, leaders syndicaux ou militants des droits de l'homme sont ces voix contradictoires. Les moyens pour les faire taire sont à la hauteur de l'ambition. Radhia est sous la surveillance

constante des autorités, et ceux qui sont chargés de la suivre dans ses moindres déplacements ne cherchent pas spécialement à être discrets. Au contraire, l'idée est de rendre visible cette surveillance pour que Radhia devienne trop dangereuse et donc «infréquentable». La recette : semer la terreur pour isoler les opposants. Et, dans une société qui vit dans la peur, ce genre de pratiques, aussi outrancières qu'elles paraissent, fonctionne très bien.

En peu de temps, son cabinet (qui a d'ailleurs été saccagé à plusieurs reprises) se vide. Les menaces et intimidations exercées sur ses clients se révèlent particulièrement efficaces. Radhia pourtant ne se démonte pas. Chaque jour, elle s'obstine à aller au palais de justice, un dossier sous le bras, pied de nez aux autorités, qui n'ont toujours pas trouvé le moyen de la faire plier.

Sa vie de femme et de mère (dans ces années 1990, Radhia a déjà deux filles) est elle aussi totalement bouleversée. Elle évoque avec pudeur cette période particulièrement difficile. Son mari se retrouve en prison après avoir été arrêté et soumis à des actes d'une violence inouïe. Il est finalement libéré en 1995 grâce à une campagne internationale. Pour sa famille, continuer à la fréquenter représente un danger. Un de ses frères se voit refuser un emploi. À d'autres, on confisque les passeports… Alors on ne l'invite plus, on change de trottoir quand on la croise, on ne vient plus chez les Nasraoui. Nadia, la fille aînée de Radhia, dit n'avoir mesuré cette pression qu'en 2001, à son arrivée à Paris, où elle venait faire des études, quand la tension s'est atténuée. Durant ces années noires, les appels quasi quotidiens avec Amnesty International sont un fil précieux pour tenir le coup et rompre cet isolement.

En surface, la politique des autorités tunisiennes porte ses fruits. Jacques Chirac, président français, vante, lors d'une visite officielle en 1995, le «miracle tunisien». La Tunisie est devenue une destination que les guides se plaisent à décrire comme «facile», célébrant les avancées en matière économique, la place des femmes dans la société… Le décor semble parfait, mais les défenseurs des droits de l'homme, relayés hors des frontières par les ONG, retournent la carte postale et révèlent ce qui fâche. Les liens de Radhia avec ces ONG internationales (elle est également devenue membre de l'OMCT – Organisation mondiale contre la torture, basée à Genève – et collabore régulièrement avec la FIDH – lui assurent un relais ainsi qu'une forme de protection ; il devient en effet très difficile de s'en prendre à elle sans entraîner des protestations dans le monde entier. Elle reçoit au palais de

justice des sacs de courrier qui lui font indéniablement marquer des points dans la partie de bras de fer qui l'oppose aux autorités. La naissance de sa troisième fille, en 1999, alors que son mari était dans une période de clandestinité, exaspère prodigieusement le pouvoir : elle aurait dû être brisée et continue pourtant à vivre.

Et d'ailleurs, parce qu'elle est restée une des rares avocates à pouvoir, savoir et vouloir défendre tout le monde, y compris ceux dont elle ne partage pas les idées, par respect de la liberté d'expression et d'opinion, la clientèle revient peu à peu. Les dossiers qu'elle suit lui permettent de constater l'ampleur du recours à la torture dans l'ensemble des procédures. Elle crée avec d'autres militants alors en 2003 l'ALTT (Association de lutte contre la torture en Tunisie) pour dénoncer ce phénomène, porter plainte et apporter une aide médicale et judiciaire aux victimes.

Devenue une bête noire du régime, elle en est donc une cible prioritaire. Alors, quand elle n'est pas sur le banc des accusés pour soutien à une association de malfaiteurs, elle est frappée par des policiers. En octobre 2003, Radhia entame une grève de la faim, à peine un an après celle qu'elle avait suivie pour que son mari soit libéré de prison. Cette fois, elle veut marquer son exaspération, obtenir la poursuite d'un policier et défendre sa dignité de femme, d'avocate et de défenseur. Radhia connaît très bien les limites de ce genre d'actions, devenues l'ultime recours dans un pays dont les citoyens sont privés de moyens d'expression. Elle a pu, par cette grève, attirer l'attention des médias, notamment français, et faire entendre sa voix au moment d'une nouvelle visite du président français Jacques Chirac en décembre 2003.

Depuis, la situation n'a cessé de se dégrader. La lutte contre le terrorisme est devenue un des horizons politiques de ce début de millénaire. Détournée de son objectif initial, elle est utilisée en Tunisie comme prétexte pour légitimer les répressions et la coercition. La loi antiterroriste de 2003 permet ainsi au pouvoir d'ériger en infraction pénale des activités d'opposition légitimes et pacifiques. Radhia dénonce le système que les autorités créent, en reléguant aux franges de l'extrémisme ceux qu'elles empêchent de s'exprimer.

Elle fait partie des courageux qui continuent de dénoncer, de s'exprimer et qui en payent le prix. En juin 2008, des défenseurs venus témoigner en France et en Espagne lors de la publication d'un rapport d'Amnesty International dénonçant les dérives des mesures antiterroristes en ont subi les conséquences dès leur

retour sur le sol tunisien. Radhia s'insurge à nouveau contre ces pratiques, elle qui en est à tout moment la cible potentielle. Elle pèse alors parfaitement ses mots quand elle conclut : « Il faudra me tuer pour me faire taire, ma vie, c'est les droits de l'homme. »

MARISELA ORTÍZ (MEXIQUE)

POUR LES FEMMES DE CIUDAD JUÁREZ

Elle aurait pu rester indifférente : après tout, ça ne la concernait que de loin, ce n'était pas sa fille. Surtout, elle aurait pu avoir peur. Mais ce sont des sentiments exactement contraires qui ont conduit Marisela Ortíz à créer Hijas de regreso a casa (« Puissent nos filles rentrer à la maison »). Le 11 février 2001, Marisela, professeur dans le secondaire, apprend la mort d'une de ses anciennes élèves, Lilia Alejandra Garcia Andrade, 17 ans, « disparue » à la sortie de son travail. Séquestrée pendant une semaine, elle a été violée, torturée avant d'être assassinée, son corps, abandonné. C'est avec la mère d'Alejandra, qu'elle convainc de ne pas sombrer, qu'elle crée cette association.

Depuis 1993, Ciudad Juárez (ville de l'État de Chihuahua, nord du Mexique) est la scène d'une série macabre de disparitions et de meurtres de jeunes femmes. Cette ville a poussé à la frontière des États-Unis, dont elle n'est séparée que par un fleuve, très contrôlé. Classée en zone franche, elle est devenue en quinze ans une ville de plus de 2 millions d'habitants, attirés par les emplois proposés par les très nombreuses *maquiladoras* (usines d'assemblage qui travaillent pour le compte de multinationales). Les femmes constituent le gros de la main-d'œuvre, « plus dociles et surtout moins chères », selon Marisela. Le cauchemar à portée de vue du rêve américain pour près de 450 d'entre elles qui, durant la quinzaine d'années qui ont vu l'essor de cette ville, ont été retrouvées assassinées.

La plupart des « disparues » de Ciudad Juárez présentent le même profil : des jeunes femmes enlevées à la sortie des usines, leurs corps retrouvés mutilés et

abandonnés dans des terrains vagues quelques jours après le signalement de la disparition. Face à cette lugubre répétition, Marisela lance des hypothèses, évoquant tour à tour la probable implication de groupes mafieux ou l'existence d'un « pacte secret » donnant sens à ces actes. Elle souligne aussi l'influence de l'installation des multinationales sur l'essor des narcotrafics et de la vie nocturne qui créent un climat violent. Ses tentatives d'explication mettent surtout en relief l'absence de vérité et le déni de justice auxquels sont confrontées les familles des victimes. Les autorités, quelles qu'elles soient, n'ont jamais réellement entrepris d'actions d'envergure pour éradiquer ces pratiques, enquêter ou rendre justice. À ceux qui signalent une disparition, on réplique encore « prostitution », « conflit de couple »… Beaucoup s'entendent répondre que disparaître n'est pas un crime. Marisela souligne que la corruption des autorités ainsi que la culture machiste mexicaine n'aident pas à l'élucidation de ces actes.

L'impunité reste la règle. Plus de quinze ans après les premiers cas de disparition et d'assassinat, les quelques hommes en prison auraient avoué sous la torture, ce qui ne permet pas de considérer que les vrais responsables sont poursuivis. Même pour Alejandra, l'ancienne élève de Marisela, l'enquête est au point mort alors que des témoignages recueillis auraient pu la faire avancer. Marisela suppose que les responsables sont très puissants.

Pourtant, sous les pressions nationales et internationales, le gouvernement a nommé en janvier 2004 une procureure fédérale chargée de l'affaire. Rapidement, elle a ordonné la révision des investigations menées par la juridiction régionale de Chihuahua. Son rapport publié en février 2006 mettait en cause 177 fonctionnaires soupçonnés de négligence et d'omission dans des enquêtes relatives à 379 cas. Aucun ne fut poursuivi. En juillet 2006, faute d'éléments prouvant que ces délits relèvent de la justice fédérale, tous les dossiers repassent aux mains des autorités régionales de Chihuahua. Retour à la situation de départ, deux ans plus tôt. Incompréhension et déception.

Beaucoup jetteraient l'éponge. « Même si nous nous heurtons à un mur de passivité, d'indifférence, d'arrogance, nous allons continuer », répond Marisela, qui tient le cap avec son association. Aujourd'hui, une bonne dizaine de permanents travaillent avec elle, relayés par une trentaine de familles. L'association s'occupe de venir en aide aux familles, les épaule dans leurs démarches juridiques au cours d'un processus souvent très long et pénible pour des proches qui tentent de faire

un impossible deuil. Son association contribue énormément à l'information et à la sensibilisation des communautés locales et nationales sur la violence liée au genre. Au-delà du travail pour obtenir justice et réparation, Marisela, entre-temps devenue psychologue et formatrice d'instituteurs spécialisés, défend une approche globale de la réponse à apporter aux familles des victimes, qui prenne en compte la santé émotionnelle, et tout ce qui contribue à une qualité de vie digne et sûre (santé, éducation, habitat).

Outre la lenteur et les reculs dans le combat pour la justice, Marisela pourrait tous les jours trouver des motifs pour arrêter. Elle, que ses détracteurs traitent d'hystérique – un qualificatif qui ne doit rien au hasard tant elle dénonce le sexisme de la société mexicaine –, subit des pressions continues. Les auteurs restent anonymes, mais les menaces, réelles. Elle a même décidé de mettre ses deux filles à l'abri ; elles vivent de l'autre côté de la frontière, aux États-Unis. Plusieurs fois par jour, Marisela a besoin de les appeler pour se rassurer. Elle sait les sérieuses menaces dont elle est la cible, mais préfère les relativiser et y voir des tentatives d'intimidation. À plusieurs reprises, elle a refusé la protection de la police, soulignant à quel point cette protection représenterait un risque accru tant ces mêmes policiers sont l'objet d'attaques extrêmement violentes et tant sa confiance est réduite. Si on l'oubliait, Marisela rappelle que Ciudad Juárez est une ville dangereuse pour tout le monde.

La protection qu'elle ne décline pas, c'est celle, certes plus indirecte mais précieuse, créée par l'attention internationale portée à son association – elle-même a été l'objet de plusieurs actions urgentes lancées en particulier par Amnesty International – et plus généralement à la question de Ciudad Juárez. Elle y contribue même, convaincue que des autorités qui peuvent négliger les pressions intérieures ne peuvent rester insensibles à la détérioration de l'image du Mexique. Et de fait, l'«affaire» de Ciudad Juárez et les nombreuses zones d'ombre qui l'accompagnent ont vite attiré l'attention des médias internationaux. Dès le début des années 2000, reportages et enquêtes ont exposé le cas de ces femmes. En 2007, Hollywood s'empare à son tour du sujet dans *Les Oubliées de Juárez*. Les têtes d'affiche (Jennifer Lopez et Antonio Banderas) et une distribution internationale ont sans nul doute accru la visibilité de ce problème. Au printemps 2007, Marisela a accompagné la sortie européenne du film. Du Festival de Berlin à Besançon, elle a pu témoigner. Cette tournée lui a aussi permis de rencontrer à Paris et

Bruxelles un certain nombre de responsables politiques. Alors, quand le film sort au Mexique un an plus tard, les menaces qui redoublent à son égard ne l'étonnent presque plus. Son nom est associé à ce film, mais surtout au combat pour la justice qu'elle incarne à tout prix. Elle continue de dénoncer l'immobilisme des autorités et conteste une prétendue amélioration de la situation : en 2007, le nombre des tuées a certes diminué, mais pas celui des disparues. Les auteurs de ces crimes les camouflent sans doute plus. Et quand bien même la situation s'améliorerait, aucun de ces crimes ne doit rester impuni, et le patient travail que Marisela mène auprès des familles pour faire évoluer les mentalités est indispensable.

Alors, elle réclame à la communauté internationale de ne pas baisser la garde, de garder les yeux ouverts et livre l'analyse de son mari, Servando Pineda Jaimes, professeur de sociologie : « Les gouverneurs antérieurs niaient le problème et considéraient les assassinats comme des cas isolés. Le gouverneur actuel montre au moins une volonté de s'attaquer au problème et écoute les organisations. Ne croyez pas que cela tombe du ciel : c'est grâce à la pression que les choses changeront un jour dans cette ville. »

DONNY REYES (HONDURAS)

POUR LA RECONNAISSANCE DES DROITS DES GAYS, LESBIENNES ET TRANSSEXUELS

Comment, dans une société machiste où l'Église catholique garde un poids considérable, reconnaître et revendiquer son homosexualité ? À cette question, l'association Arcoiris (« Arc-en-ciel », en référence au code international du mouvement homosexuel) apporte ses réponses. Ce centre, une rareté au Honduras, est un abri, un lieu où trouver de l'aide, de l'information et des conseils. Le genre d'endroit que Donny aurait aimé trouver quand, à 15 ans, il a décidé de quitter la maison familiale, conscient que son homosexualité était source de conflits.

Un peu plus de dix ans plus tard, alors qu'il est devenu ouvrier dans une filature, écourtant son cursus scolaire pour subvenir à ses besoins, il participe avec des amis à la création du centre Arcoiris. Son désir de s'impliquer dans des initiatives collectives est ancien, mais, tout en se reconnaissant gay, il s'engageait auparavant plutôt dans des mouvements de jeunes, d'étudiants.

Arcoiris est né d'une envie et d'une nécessité collective. Ses initiateurs ont voulu le lieu comme un espace d'accueil et de liberté où chacun peut souffler et se laisser aller à des comportements bannis partout ailleurs, dans la rue, sur les lieux de travail, dans la famille : s'embrasser, parler, s'exprimer… ces gestes anodins qui peuvent exposer à des représailles allant jusqu'au meurtre. Mais c'est aussi un lieu de rencontres entre communautés, entre «minorités» sexuelles : Arcoiris a cette particularité d'être la seule association au Honduras qui regroupe à la fois des lesbiennes, des gays et des transsexuels. Les clivages sont en effet très forts au sein d'un mouvement qui tarde dans ce pays à s'identifier et se revendiquer comme tel. Les trans sont ainsi accusés par des gays d'en «rajouter» et de favoriser les discriminations liées à des comportements jugés outranciers ; les lesbiennes ont été reconnues tardivement, à partir du début des années 2000. Le travail d'Arcoiris y a énormément contribué ; sa directrice est d'ailleurs à présent une femme.

Pourtant, consolider le mouvement est indispensable pour défendre et faire connaître les droits des LGBT. Donny estime même que défendre les droits de l'homme, c'est avant tout les transmettre ; et, de manière générale, la formation est le maître mot du centre. Il y travaille à présent à plein temps, même si son salaire lui permet en fait à peine de couvrir ses frais. Cette question apparaît secondaire pour Donny ; il préfère insister sur la formidable énergie de ce projet qui, en cinq ans d'existence, est devenu un acteur incontournable, un relais pour les populations concernées et un interlocuteur clé pour les autorités.

La vie du centre est organisée autour de sessions de formation régulières, telles que les ateliers «transsexuels» du mercredi soir, d'un travail de soutien et d'aide aux victimes d'abus ou de violences qui veulent porter plainte et d'un accompagnement très concret. Ceux qui poussent la porte du centre sont jeunes (entre 15 et 35 ans), et il faut qu'ils puissent en ressortir «armés», capables de vivre dans une société peu tolérante à leur égard. Une des aides concrètes porte ainsi sur la manière de faire son *coming out*. Le centre dispose enfin de personnels

médicaux, et notamment d'un psychologue, qui peuvent aussi apporter leur assistance sur des questions de santé, en particulier celles liées au sida.

Et si le centre ne se fixe pas pour objectif de sensibiliser directement le grand public, chantier dont Donny et ses collègues reconnaissent néanmoins l'enjeu et l'ampleur, tous soulignent que le travail qu'ils mènent auprès de la société civile et des autorités participe de l'indispensable évolution des mentalités.

Le centre est très représentatif des communautés lesbienne, gay, bi et trans au Honduras ; il ne désemplit pas et peut faire valoir son expérience de terrain. En quatre ans d'expérience et malgré le jeune âge de ses membres, il est devenu, aux yeux des autorités, une voix experte, reconnue et entendue : ainsi, en 2007, Donny a pu participer, sous la tutelle du secrétaire d'État à la Santé, à l'élaboration du plan national de prévention du virus du sida. Une de leurs victoires est d'avoir pu faire prendre conscience de la nécessité de mener des études sur la prévalence du virus au sein des populations lesbiennes qui, contrairement à un préjugé bien ancré dans la société, ne sont pas épargnées. Les équipes d'Arcoiris ont aussi pu mettre en avant un certain nombre de points liés à la prise en charge des personnes victimes d'agressions homophobes, à la prévention, au besoin de sensibiliser et d'informer.

Forts de leur travail de soutien et d'aide à des victimes, ils font valoir leur expertise auprès d'autres instances, auxquelles ils peuvent présenter des statistiques et autres éléments de preuve. Ainsi, la Commission nationale des droits de l'homme, qui disait ne disposer d'aucun chiffre sur les violences qu'Arcoiris dénonce, peut à présent en avoir ; les plaintes et recensements de violences ont d'ailleurs augmenté en raison du soutien apporté aux victimes. Les équipes d'Arcoiris font aussi des interventions auprès de la police, de juges et de divers agents de l'État.

Pour autant, même si ces avancées sont très encourageantes et prometteuses, dire que la route est encore longue est en deçà de la réalité. La société est extrêmement réticente envers ceux qu'elle considère comme déviants. L'Église catholique, puissante et influente, encourage cette défiance ; elle accuse ceux qui s'écartent des codes établis de porter atteinte à la vertu et aux valeurs de la société en faisant la promotion de l'homosexualité. Au jour le jour, les embûches et les entraves sont nombreuses et s'accumulent. Quasiment tous les membres ont à un moment ou un autre subi des intimidations, des menaces plus ou moins explicites. Le premier directeur du centre a ainsi été attaqué, ses jambes ont été brisées, le

deuxième a passé huit mois en prison dans des conditions inhumaines, soumis à des humiliations quotidiennes. Donny lui-même a été arbitrairement arrêté par la police et détenu peu de temps; il a néanmoins été maltraité et a subi des violences sexuelles de la part d'autres détenus, encouragés par des policiers qui ont déclaré en l'amenant en cellule : « Voilà une petite princesse, vous savez quoi en faire. »

Donny, qui connaît la procédure, a appliqué les conseils qu'il donne aux victimes et s'est immédiatement battu pour faire valoir ses droits; il a pris soin de rassembler les éléments de preuve, a constitué un dossier, est allé devant la justice, avant qu'au début de 2008, la Cour suprême ne déclare son cas clos faute de charges suffisantes, allant même jusqu'à suggérer que Donny avait cherché ce qui lui était arrivé. Sa pugnacité a même accru la surveillance de la police, qui est désormais postée de manière quasi permanente devant les bureaux d'Arcoiris; l'association en est à présent à son quatrième déménagement. Donny évoque surtout le cas de sa collègue doña Blanca Rodriguez, témoin clé de ce qui lui était arrivé (elle pouvait identifier les policiers coupables), qui a été retrouvée tuée dans son appartement. L'impunité est la règle, et Donny sait que son cas est loin d'être isolé. Pour le moment, aucune des actions intentées en justice *via* Arcoiris n'a pu aboutir à une reconnaissance des préjudices subis.

Pourtant, cette affaire a donné une visibilité inédite à Donny et aux causes défendues par Arcoiris. Donny a fait l'objet de plusieurs actions urgentes lancées par Amnesty International – qui avait déjà contribué à relayer ses combats dans des rapports précédents. Son cas a été repris dans le rapport annuel 2008. Cette exposition est une protection inestimable ; il le mesure chaque jour. Donny explique en souriant qu'être membre d'Arcoiris peut même, dans certains cas, lors de contrôles de police, se révéler un sésame puisque les policiers préfèrent ne pas s'obstiner contre un membre de l'association. Cette attitude n'est cependant pas systématique, et les mesures de sécurité adoptées par les membres de l'association restent de mise.

Donny et l'équipe d'Arcoiris entendent mettre en lumière ces victoires, aussi ténues et fragiles soient-elles. Plusieurs initiatives régionales ou internationales prises récemment les soutiennent dans leur combat. Début juin 2008, l'Organisation des États d'Amérique (OEA) adoptait ainsi un projet de résolution exprimant le caractère préoccupant des violences subies par des personnes en raison

de «leur orientation sexuelle ou leur identité de genre». Arcoiris, qui avait pris part aux travaux préparatoires, n'a pu que saluer un texte qui dresse d'encourageantes perspectives d'évolution et qui, s'il se concrétise, sera une reconnaissance de leur combat. Dans l'immédiat, Donny souligne les défis qui les attendent; il connaît pour l'avoir vécue la souffrance que vivent aussi les plus jeunes, qui risquent de basculer dans la violence après avoir été chassés de chez eux. Alors il voudrait pouvoir ouvrir une structure qui leur serait spécifiquement dédiée. Même s'ils n'en ont pas encore les moyens, il sait aussi la formidable énergie de ceux avec lesquels il se bat et qui ont déjà réussi à mettre en place ce qui, à la création d'Arcoiris, semblait impossible. Cette énergie et cette envie de dire et de s'exprimer sont de précieux remparts contre une société qui veut réduire une partie d'elle-même au silence.

PEDRO RUQUOY (RÉPUBLIQUE DOMINICAINE)

POUR LE DROIT DES TRAVAILLEURS HAÏTIENS EN RÉPUBLIQUE DOMINICAINE

Pedro Ruquoy, un nom à consonance espagnole pour cet homme né à Charleroi (Belgique) qui, en 1970, à l'âge de 28 ans, a rejoint la congrégation du Cœur immaculé de Marie pour vouer sa vie à la mission universelle de l'Église. Envoyé en mission en République dominicaine quatre ans plus tard, il a consacré à ce pays trente années de sa vie. Il y est devenu une figure majeure de la défense des droits des travailleurs haïtiens.

Avec sa nouvelle affectation, Pedro Ruquoy est précipité dans une réalité qu'il avoue ne pas avoir soupçonnée auparavant. Les paroisses dont il a la responsabilité se situent pour la plupart au cœur des *bateyes,* ces immenses exploitations de canne à sucre qui appartiennent à de grands propriétaires terriens. Il y découvre une main-d'œuvre majoritairement constituée de migrants haïtiens dont les conditions de travail et de vie sont effroyables : outre la dureté de leur tâche, effectuée

pour des salaires de misère qui leur permettent à peine de survivre, ils sont confinés dans des baraquements, avec un accès réduit aux besoins de première nécessité.

Pedro prend également conscience de l'impasse dans laquelle ils se trouvent. Ils ont quitté une terre de misère, Haïti, pour avoir la possibilité de travailler. L'agriculture dominicaine a besoin de ces *braceros*, qui passent la frontière entre Haïti et la République dominicaine, seuls ou avec des passeurs, avec la complaisance des gardes-frontières. Beaucoup franchissent illégalement la frontière ou se font prendre leurs papiers.

Or, ne pas avoir de papiers accroît leur vulnérabilité. Inexistants au regard de la loi, ils ne peuvent prétendre à aucun droit. Illégaux, ils sont à tout moment susceptibles d'être expulsés. Chaque année, entre 20 000 et 30 000 expulsions frappent aussi des Haïtiens en possession d'un visa de travail, voire des Dominicains d'origine haïtienne. Des pratiques discriminatoires privent leurs enfants du certificat de naissance indispensable pour obtenir une carte d'identité (*cédula*) à la majorité (18 ans) ; elles réduisent encore l'espoir de les voir sortir de cet exil pour mener une vie meilleure. Ces usages violent la législation nationale qui donne droit à la nationalité dominicaine aux enfants nés sur le sol dominicain. Ils font de l'illégalité des migrants une situation héréditaire.

Les maintenir dans un vide juridique est devenu en fait presque essentiel pour une économie dominicaine qui a besoin de cette force de travail pour son agriculture mais aussi pour l'autre pilier de son économie, le tourisme. Et cette économie pourvoyeuse d'emplois continue d'attirer une main-d'œuvre qui jour après jour subit humiliations et discriminations. Les Haïtiens sont par exemple souvent accusés d'être responsables de la hausse de la criminalité et du chômage en République dominicaine et sont fréquemment victimes d'actes xénophobes qui peuvent atteindre une violence extrême (jusqu'au lynchage).

Sa fonction, dans une paroisse qui recouvre quinze *bateyes,* a rapidement fait de Pedro un témoin rare et privilégié d'une réalité que propriétaires et autorités tentent de cacher pour préserver la belle image de façade du pays. Au-delà du soutien qu'il a prodigué en tant que prêtre, Pedro a apporté autant qu'il l'a pu une aide concrète, recueillant à plusieurs reprises des personnes en extrême difficulté. Il a constamment travaillé à améliorer la situation avec deux objectifs : souligner les responsabilités des autorités et des propriétaires des *bateyes* et

surtout faire évoluer les mentalités pour combattre les préjugés. Il puise sa force dans sa foi en l'homme et en sa capacité à progresser.

En cela, il a un point commun avec Colette Lespinasse (voir son portrait p. 88), qui travaille de l'autre côté de la frontière. Ils se sont régulièrement rencontrés et ont mené ensemble en 2002 une étude approfondie sur l'organisation du trafic des travailleurs migrants entre Haïti et la République dominicaine. Les 800 témoignages recueillis mettent au jour des collusions entre passeurs, policiers et militaires postés à la frontière et patrons ou propriétaires dominicains. Dès lors, Pedro n'a cessé de dénoncer ce trafic. Il a d'ailleurs été le premier à intenter une action en justice contre un trafiquant. Outiller les migrants pour qu'ils puissent faire valoir leurs droits est un leitmotiv pour ce religieux qui croit aussi dans la justice des hommes. Il soutient la Mudah, le Mouvement des femmes dominico-haïtiennes, qui revendique le droit à un nom et à une nationalité pour les enfants nés sur le sol dominicain. En 2005, il a accompagné la directrice pour défendre cette cause devant la Cour interaméricaine des droits de l'homme; en septembre 2005, saisie dans le cas de deux fillettes, cette cour a condamné les pratiques illégales et discriminatoires de la République dominicaine en matière de délivrance de certificats de naissance. Pour autant, les modifications législatives tardent à être adoptées, et rien n'est entrepris par les autorités pour mettre un terme aux pratiques discriminatoires et faire évoluer les mentalités.

C'est donc aussi aux Dominicains que s'adressent ses nombreux reportages et ses prises de parole. Il ne veut pas croire qu'on puisse rester insensible au sort qui est fait aux travailleurs migrants, et est convaincu que les préjugés peuvent être battus en brèche. La création de Vida, une plate-forme pilotée par des Dominicains menant des activités éducatives dans les *bateyes* et qu'il a fortement appuyée, participe de cette même logique : tisser des liens, faire connaître le sort des migrants et les sortir de leur isolement.

Ses interventions, qui dénoncent un ordre établi au service d'intérêts bien compris, déplaisent. Les autorités dominicaines n'hésitent pas à l'accuser de mener une campagne de diffamation en lien avec des ONG telles qu'Amnesty International et le dénigrent dans les médias nationaux. Il est surtout la cible d'attaques directes et répétées. À de nombreuses reprises, il a été très sérieusement menacé, empêché de circuler dans sa paroisse; son église a même été caillassée en plein office... Pendant un temps, il passe outre, bénéficiant notamment de l'appui d'ONG

internationales qui lancent des actions urgentes en sa faveur. Les attaques se font pourtant de plus en plus pressantes jusqu'à ce qu'il reçoive des menaces de mort émanant de groupes d'intérêts privés. En novembre 2005, sa hiérarchie le rappelle. Ce départ est bien sûr un déchirement. Pedro sait bien que des avancées considérables ont été faites, en particulier dans la prise de conscience ; il le dit. Il sait aussi que sa progression est fragile, et qu'il faut que d'autres osent poursuivre son travail, face aux menaces réelles.

Alors, s'il est éloigné des menaces, il n'est pas privé de sa parole. Il continue à témoigner et alerter. Au printemps 2007, il vient à Paris et y retrouve Colette, qui travaille toujours en Haïti. L'événement *Esclaves au paradis,* autour du reportage de Céline Anaya Gautier, poursuit la sensibilisation d'opinions publiques qui découvrent un envers du décor insoupçonné. Il provoque d'ailleurs l'ire des autorités dominicaines et des propriétaires de *bateyes* qui l'ont condamné et ont menacé certains des intervenants. Derrière ces menaces, Pedro veut voir la confirmation que le combat qu'il a mené est juste et qu'il est loin d'être gagné.

De la Zambie, où il a pu un temps se sentir exilé, Pedro soutient autant qu'il le peut ce combat. De nouveaux engagements attendent déjà celui qui continue à se faire appeler Pedro, fidèle à ceux qu'il a accompagnés.

CHANTAL UWASE (RWANDA)

POUR LES DROITS DES ENFANTS

Du jour au lendemain, l'engagement de Chantal pour les droits humains a pris une dimension imprévue. Avant ce printemps 2007 qui a vu le président de l'ONG pour laquelle elle travaille être placé derrière les barreaux, Chantal apprenait progressivement son « métier ».

Elle avait rencontré François-Xavier Byuma, le président de l'association Turenge Abana, cinq ans plus tôt, en 2002, chez sa tante. Au Rwanda, il était un militant connu et reconnu dans la défense des droits de l'homme. Pendant une dizaine

d'années (entre 1990 et 2000), il avait été président d'une des plus importantes ONG du pays (la Ligue rwandaise pour la promotion et la défense des droits de l'homme). À ce titre, François-Xavier avait conduit de nombreuses recherches sur les responsabilités des troupes gouvernementales et des milices hutues dans les violences que le Rwanda avait connues pendant et après le génocide (entre avril et juillet 1994, près de 800 000 personnes, en majorité tutsies, ont été tuées).

Chantal, quant à elle, terminait des études en sciences administratives qu'elle avait pu suivre grâce à la bourse dont elle bénéficiait en tant que victime reconnue du génocide. Elle n'avait alors pas une vision précise de ce qu'elle envisageait de faire après ses études, sans doute assez logiquement travailler dans la fonction publique. Alors, quand François-Xavier lui propose de rejoindre les équipes de Turenge Abana, une ONG spécialisée dans les droits des enfants basée à Kigali (capitale du Rwanda), elle accepte sans trop savoir à quoi s'attendre, mais convaincue par cet homme charismatique.

Comme la structure n'est pas très grande, Chantal, encadrée par François-Xavier, est vite plongée au cœur des diverses missions de l'association, qui comprennent des enquêtes sur les violations des droits des enfants – en particulier sur le travail forcé et les violences sexuelles – et l'accueil d'une centaine de mineurs âgés de 14 à 18 ans. La vocation du centre est d'éviter aux enfants sortis du système scolaire, même s'ils ont encore leurs parents, de se retrouver comme de nombreux autres à la rue, avec, trop souvent, la prostitution comme issue. Le centre leur enseigne également divers métiers, et leur dispense des formations sur leurs droits mais aussi sur le virus du sida.

Le sort des enfants est un sujet de préoccupation majeure au Rwanda. Le pays détient le record du nombre d'orphelins – l'Unicef estime à plus de 600 000 le nombre d'enfants de moins de 14 ans qui n'ont pas de parents et à près de 100 000 le nombre de ceux qui sont chefs de famille. Ce phénomène est une conséquence directe du génocide de 1994 et a été aggravé par la pandémie du sida. La prise en compte de ce problème, et plus globalement des droits de tous les enfants par l'État, est bien plus lente que ne l'exige la réalité. Les autorités sont plus actives dans la répression, qualifiée par Chantal de « chasse » aux enfants, que dans la prévention. Pourtant, c'est à ce niveau que réside l'enjeu d'une amélioration concrète et durable de leur sort, et l'association Turenge Abana, béné-

ficiant de l'expérience de son président, a rapidement entrepris de mener des actions de pression auprès des autorités.

Au printemps 2007, l'incarcération de François-Xavier est une accélération imprévue et un poids énorme pour Chantal. Devenue six mois auparavant secrétaire exécutive de l'association, elle se retrouve à 27 ans propulsée à sa direction. Alors elle veut croire que cette situation est provisoire. Tout dans le dossier relatif à l'incarcération et à la condamnation de François-Xavier est sujet à caution ; d'ailleurs, plusieurs associations internationales, dont Amnesty International, ont lancé des appels pour la révision de son procès et sa libération. Ce dernier menait un travail d'enquête sur le viol d'une mineure et venait de publier un rapport prouvant la responsabilité d'un juge d'une juridiction *gacaca* (système communautaire de justice destiné à amener les responsables du génocide de 1994 à répondre de leurs actes). Cette enquête l'a conduit à être accusé par ce même juge d'avoir, au moment du génocide, transféré des armes, agressé une jeune Tutsie et participé à une attaque. Au terme d'une parodie de procès, François-Xavier a écopé de dix-neuf ans de prison et son appel a été une première fois rejeté. Quelle que soit donc l'iniquité de la procédure, les espoirs restent ténus.

Ces événements ont considérablement changé la donne pour Chantal. Elle continue à se battre pour la révision du procès et rend visite deux fois par semaine à François-Xavier en essayant d'attirer l'attention sur ses conditions de détention. Les prisons rwandaises regorgent de détenus, majoritairement en attente de procès. Surtout, elle a dû progressivement faire face à ses nouvelles responsabilités : gestion du centre d'accueil, recherche de fonds auprès de bailleurs que l'arrestation de François-Xavier a rendus particulièrement frileux, coordination des missions d'enquête et du travail de lobbying. Les lignes de partage se sont aussi clarifiées entre ceux auprès desquels elle sait pouvoir trouver un soutien et ceux qui l'ont lâchée. Elle cite alors un épisode qui l'a particulièrement affectée. Il concerne la publication en novembre 2007 d'une photo prise plus d'un an auparavant, en marge d'un colloque organisé par Amnesty International sur les droits humains auquel elle participait en 2006 au Burundi, la montrant aux côtés de François-Xavier, avec la légende «Byuma en train de s'amuser». Bien sûr, elle y a vu un acte de malveillance et a d'ailleurs porté plainte, en vain. Surtout, elle exprime l'humiliation qu'elle a ressentie ; elle explique que s'engager dans la défense des droits de l'homme quand on est une jeune femme au Rwanda, c'est s'exposer. Si elle ne fait

pas grand cas des mises en garde concernant la difficulté qu'elle aura à trouver un mari, elle se montre bien plus attentive aux menaces que subissent l'ensemble des défenseurs des droits de l'homme dans son pays. Certains de ses amis ont dû fuir le Rwanda. Elle veut alors voir dans les réseaux dont elle est membre, et en particulier le Redhac (Réseau des défenseurs des droits de l'homme en Afrique centrale) qu'elle a contribué à mettre sur pied, un moyen d'accroître leur visibilité, leurs compétences et leur protection.

Brutalement confrontée à un niveau de responsabilité supérieur, elle a pu constater ses lacunes et celles d'autres défenseurs dans leur connaissance des leviers de protection dont ils disposent. Chantal n'a plus son tuteur, mais elle veut continuer et elle doit continuer à apprendre. En 2008, elle saisit ainsi l'occasion de venir se former à la session annuelle de l'Institut des droits de l'homme de Strasbourg (chaque année, Amnesty International permet à plusieurs défenseurs d'y participer). Elle voudrait aller plus loin et envisager de faire un master, consciente que cela nécessite des moyens qu'elle n'a pas nécessairement. Ce qui lui importe plus que tout, c'est de se sentir prête à exercer toutes les responsabilités.

LONGMON WANG (CHINE)

LA MÉMOIRE VIVE DE TIAN'ANMEN

Ces derniers mois, l'exil de Longmon a trouvé en France une résonance particulière. Pas tant pour lui, qui continue, malgré l'éloignement, à réclamer plus de liberté et de droits pour la Chine, son pays d'origine. Il semble plutôt que sa parole et son analyse soient devenues plus audibles et plus sollicitées, à l'heure où la Chine suscite un intérêt croissant. Affairé à préparer les Jeux olympiques de l'été 2008, qui doivent consacrer son rôle de puissance de premier plan, ce pays fait en effet l'objet d'analyses et de spéculations de plus en plus nombreuses. Face à une certaine confusion, et dans ce qui peut parfois passer pour de la cacophonie, Longmon continue implacablement de livrer son analyse et de condamner les

promesses non tenues des autorités chinoises, rejoignant en cela le constat dressé par les ONG de défense des droits de l'homme. Lors de l'attribution des Jeux olympiques en 2001, la Chine avait, avec habileté, su donner à ses partenaires les gages attendus sur des questions liées au respect des droits humains. Depuis lors, Amnesty International a saisi l'occasion des JO et pris au mot les autorités chinoises, le CIO et la communauté internationale pour dénoncer un sombre bilan en termes de droits humains, qui souligne à quel point les engagements pris lors de l'attribution des Jeux olympiques à la Chine sont restés lettre morte.

En France, Longmon s'implique dans les actions de sensibilisation et de mobilisation des opinions et de pression sur les pouvoirs publics, convaincu que les JO restent ce formidable prétexte pour donner aux questions des libertés et des droits fondamentaux une résonance inédite. Il y met cette même conviction dont il témoigne depuis son arrivée en 1990 en France, où il a obtenu le statut de réfugié politique.

C'est un lointain exil pour Longmon, qui est né en Mongolie intérieure. Ayant grandi sous la férule du parti communiste, il se souvient avoir très vite pris conscience des nombreuses injustices d'une société prétendument égalitaire et des contradictions entre discours et réalité. C'est à cette injustice qu'il attribue la mort de sa mère, alors qu'il a 15 ans. Analysant cette tragédie familiale à l'aune de celle de la société, il a alors ouvert les yeux de manière radicale et définitive. Ses études de pharmacie, qu'il continue tout en travaillant pour un laboratoire, lui permettent de découvrir de nouvelles inégalités ainsi que les nombreuses malversations liées à l'accès aux médicaments. Face à un père mutique, pur produit de cette société, Longmon trouve dans ses lectures des réponses à son sentiment de révolte. Le mouvement démocratique qui s'affirme dans les universités et dans certains médias en cette première moitié des années 1980 lui permet d'accéder aux écrits de romanciers et de philosophes européens et américains, et de côtoyer des professeurs qui ont pu se former à l'étranger. En Chine, cette émulation n'est pas du goût de tous, et au sein du gouvernement s'expriment des divergences entre les libéraux et les conservateurs. La ligne communiste est finalement durcie après que le courant conservateur l'a emporté. L'interdiction qui frappe la littérature étrangère pousse Longmon à rejoindre en 1986 les premières manifestations en Mongolie. Dégoûté par son expérience en pharmacie, il s'oriente vers le théâtre, et est reçu en 1988 au concours du Conservatoire national supérieur d'art drama-

tique, où seuls dix candidats sont admis chaque année. Il quitte alors la Mongolie pour Pékin et s'investit dans le théâtre ; c'est une révélation. Mais, intransigeant, il fustige l'attrait qu'avaient déjà ses condisciples – devenus des stars internationales, tels l'actrice Gong Li ou le réalisateur Zhang Yimou, d'ailleurs maître de cérémonie des Jeux olympiques – pour l'argent et leur peu de recul ou de critique sur le régime. Il trouve aussi à Pékin de nombreuses occasions d'entretenir un dialogue soutenu avec d'autres étudiants avides de changements.

Le 15 avril 1989, la mort de Hu Yaobang – ancien premier secrétaire du parti communiste démis de ses fonctions pour son soutien aux manifestations étudiantes de 1986 et soupçonné de vouloir soutenir des réformes démocratiques en Chine – fonctionne comme le déclencheur du « printemps de Pékin ». Rassemblés sur la place Tian'anmen, pour lui rendre hommage en tant que figure emblématique du soutien à leurs revendications, les étudiants y établissent progressivement un campement géant. Habile orateur, Longmon devient un des leaders de ce mouvement, exprimant sans relâche les revendications. Il se souvient de moments de grande exaltation, de la possibilité d'une nouvelle civilisation. À visage découvert, il enchaîne les discours, arbore des slogans sur ses vêtements, sans se méfier un instant de probables infiltrés dans les rangs étudiants. Très vite, en ce mois de mai 1989, il part en Mongolie pour organiser les mouvements et les revendications des étudiants. Mais, quand il veut rejoindre Tian'anmen début juin, il en est empêché : Pékin est bouclé, les forces de l'ordre sont à pied d'œuvre pour réprimer dans le sang le mouvement pacifique des étudiants. Longmon pourra quand même rentrer dans la ville au bout de quelques jours ; il constate l'horreur de la répression avant d'être prévenu qu'il est activement recherché. Passé de Hong Kong à Taïwan, il doit se cacher et bénéficie de l'assistance des nombreuses organisations qui aident alors les étudiants à fuir. Les autorités taïwanaises, qui l'ont un temps emprisonné, lui donnent le choix entre sept pays d'exil. Alors que la plupart des étudiants partent pour les États-Unis, son choix se porte sur la France, où il arrive en mai 1990. Une évidence pour ce lecteur assidu qui a souvent rapproché l'idéal des mouvements étudiants chinois de celui de la Révolution française de 1789. Il se rêve alors en artiste porteur de cet esprit. Cet élan a sans doute facilité son arrivée dans cette patrie des droits de l'homme à laquelle il veut croire et qui aujourd'hui encore le pousse à critiquer les hypocrisies. Comme la plupart des réfugiés

qui arrivent en France, et en dépit de soutiens, il vit de petits boulots et renoue avec le théâtre.

Il continue avant tout son combat pour la liberté. Il veut faire de cet exil forcé une chance, puisqu'il dispose maintenant de leviers pour relayer les messages de ceux qui, restés en Chine, parviennent à s'exprimer. Alors que les autorités chinoises veulent classer ce dossier définitivement, il milite pour que toute la lumière soit faite sur la répression de 1989. À ce jour, aucun bilan sérieux n'a été établi (le chiffre officiel de 300 morts contredit tous les témoignages recueillis par les ONG de défense des droits de l'homme), et la majorité des leaders étudiants qui n'ont pas pu fuir ont été condamnés à de très lourdes peines, voire ont rejoint les camps de rééducation par le travail. Longmon fait désormais de son exil un atout pour relayer et amplifier à l'étranger des contestations et des revendications actuelles, qui sont peut-être moins ambitieuses, mais non moins courageuses que celles de 1989. De son exil, il ne subit pas la même répression ni les entraves qui aujourd'hui encore s'abattent sur les journalistes et militants, en dépit de ce que prétendent les autorités chinoises. Il n'en est pas pour autant épargné. Il reste en effet sous le contrôle permanent des autorités chinoises, qui interrogent à leur retour en Chine ceux qui le rencontrent. Surtout, il sait qu'il n'aura aucune perspective de retour tant qu'il n'aura pas renoncé à ses activités militantes. Ses convictions sont à ce prix ; au risque de ne jamais revoir son père, elles le tiennent pour le moment éloigné de son pays natal, un pays où il sait avoir un rôle à jouer. Lui qui a toujours vu dans le théâtre un espace inouï de liberté veut ainsi croire qu'un jour, il pourra rentrer et monter une compagnie pour exprimer et soutenir, autrement qu'il le fait depuis son exil, la souffrance des Chinois, et se réfère alors à Victor Hugo.

DOMINIQUE ZOTOGLO (TOGO)

POUR LA DÉMOCRATIE, CONTRE L'IMPUNITÉ

Dominique se définit comme un « pur produit de la foi catholique », une revendication pour cet homme de 35 ans qui y puise son engagement pour la promotion des droits de l'homme, dans un pays où ces droits ont été bafoués de manière très grave jusqu'à tout récemment et où les entraves à la liberté d'expression sont nombreuses. Pour lui, il s'agit avant tout du respect de la dignité humaine. Ses convictions religieuses, qui restent pour beaucoup dans le domaine privé, sont ouvertement affichées. Mais il peut très bien faire le distinguo entre ces deux formes d'engagement, quand il explique par exemple que le pardon n'a rien à voir avec l'exigence de justice.

Sans cette foi, il n'aurait sans doute pas surmonté certains des moments les plus difficiles de sa vie. En 1991, il a 18 ans quand ses parents meurent, à dix mois d'intervalle. En mars de la même année, il est témoin d'un grave événement, décisif dans les choix qu'il a faits ensuite. Le Togo est alors dirigé depuis près de trente ans d'une manière extrêmement autoritaire par le général Gnassingbé Eyadéma, arrivé au pouvoir en 1963. La société civile est restée embryonnaire tant les libertés sont restreintes, et les moindres velléités de changement de la population sont tuées dans l'œuf. Les forces de sécurité togolaises, qui se doivent de protéger les citoyens togolais, inspirent plutôt la terreur. Le 16 mars 1991, à Lomé, la capitale du Togo, Dominique prend part à une manifestation pacifique de l'opposition. Comme chaque fois, elle est réprimée dans la violence, des véhicules militaires fonçant sur la foule pour la disperser.

Devant ses yeux, un enfant de 12 ans meurt écrasé. Il décide, après cet événement et alors qu'il est encore au lycée, d'agir contre la « bêtise humaine ». Il rejoint la section togolaise d'Amnesty International, dont il est membre en 1999, quand les autorités togolaises orchestrent une véritable campagne de diffamation contre l'ONG, après la parution d'un rapport dénonçant les violences qui avaient suivi les élections présidentielles de 1998. Parce qu'ils sont sur le sol togolais, les

militants d'Amnesty International subissent de plein fouet les représailles du pouvoir, mais arrivent à maintenir leurs activités. Pendant une dizaine d'années, Dominique s'y investit et occupe diverses fonctions à titre bénévole : il poursuit en même temps ses études en sciences économiques. Quelles que soient ses convictions, Dominique n'a pas songé à en faire un « métier ». Il reconnaît que maintenant qu'il s'est investi dans la vie active et a pris de plus en plus de responsabilités, concilier son activité professionnelle et son engagement devient de plus en plus dur. Sa vie personnelle est toujours un peu entre parenthèses. Ne pas encore avoir de femme ou d'enfant est peut-être un avantage, bien qu'il ne soit pas très sûr de ce qu'il avance… Aussi, quand il réussit à s'absenter de l'entreprise pour laquelle il travaille (son employeur sait se montrer conciliant), Dominique consacre tout son temps à ses missions au sein de la commission Justice et Paix. Cette institution d'obédience catholique, présente dans plusieurs pays, se consacre principalement au Togo à des questions liées à la justice sociale et à la paix ainsi qu'à la protection des droits humains. Dominique a même été l'un de ses fondateurs à la fin de l'année 2004. Cette structure rassemble des personnes venues d'horizons très divers (religieux, mais aussi laïcs) et se veut le reflet d'une société civile que Dominique appelle de ses vœux et qui prend timidement corps depuis quelques années. Elle lui permet également de concilier sa foi et son engagement en faveur des droits humains. Le baptême du feu est quasi immédiat pour cette association créée juste quelques semaines avant le décès du président Eyadéma, le 5 février 2005, qui a ouvert une période de troubles et d'instabilité comme en traverse trop souvent le pays.

La disparition du chef d'État en février 2005 amorce une période d'incertitude. Des élections étant annoncées pour avril 2005, la toute jeune commission Justice et Paix s'investit alors pour mobiliser les citoyens, les informer sur leurs droits et les inciter à participer. Surtout, face au refus des autorités de nommer des observateurs nationaux, elle décide de déployer ses propres observateurs selon un maillage serré sur l'ensemble du territoire. Dominique sillonne une partie du pays, prenant parfois des risques réels. Le 26 avril 2005, la victoire de Faure Gnassingbé, fils du président défunt, est annoncée, signe que le pouvoir ne change pas de mains. Les résultats entraînent alors des manifestations pacifiques de mécontentement que les forces de sécurité, secondées par des milices, écrasent dans la violence. Le rapport que Dominique rédige suite à cette mission

rejoint les conclusions de plusieurs ONG, dont Amnesty International : le scrutin était entaché d'irrégularités, et les violences qui l'ont accompagné ont provoqué des centaines de morts et de blessés et poussé à l'exil des dizaines de milliers de personnes qui ont trouvé refuge au Bénin et au Ghana.

Il est aujourd'hui très difficile d'enquêter sur ces violences, et les estimations du nombre de victimes varient énormément selon les sources, allant de 150 à 500 morts. Certains parlent même de plus de 800 victimes. Surtout, Dominique pointe le risque que ces crimes restent une fois encore impunis. Or, au-delà des événements de 2005, l'impunité est la gangrène de ce pays. Après plusieurs décennies de violations graves des droits humains (exécutions extrajudiciaires, tortures, « disparitions », arrestations arbitraires) et d'atteintes à la liberté, aucun des auteurs présumés de ces faits n'a jamais été traduit en justice.

Dominique suit donc très attentivement la manière dont cette question est peu à peu prise en considération par les autorités et la communauté internationale, dont il a déploré l'indifférence et les trop faibles condamnations au moment du scrutin. Pourtant, en apparence, son souci de mettre un terme à cette culture de l'impunité semble partagé. Dès juin 2005, la mission d'enquête des Nations unies sur les violences commises durant la période électorale recommande que le règlement en profondeur de la crise togolaise passe par la lutte contre l'impunité.

La mort du président Eyadéma semble avoir ouvert une nouvelle phase, et cette nécessité paraît désormais prise en compte par les principaux acteurs politiques togolais. Ainsi, en août 2006, l'ensemble des parties prenantes dans le dialogue intertogolais (principaux partis politiques et deux organisations de la société civile) signait un accord politique global visant à trouver une issue à la crise politique togolaise engendrée par l'élection présidentielle d'avril 2005. Une des dispositions figurant dans cet accord prévoyait la création d'une « commission chargée de faire la lumière sur les actes de violence à caractère politique, commis durant la période allant de 1958 à ce jour, et d'étudier les modalités d'apaisement des victimes ». En avril 2008, le processus de Vérité, justice et réconciliation était lancé par Faure Gnassingbé, avec l'appui technique du bureau du Haut-Commissariat des Nations unies aux droits de l'homme.

Dominique n'a pu que saluer cette avancée décisive dans la lutte contre l'impunité. Il dit cependant rester attentif à ce que ce processus de réconciliation ne se substitue pas à l'exigence de justice ni à l'examen par la justice togolaise des

plaintes déposées par les victimes des violences de 2005 et qui attendent toujours d'être instruites.

Surtout, Dominique a continué à œuvrer à l'éveil de ses concitoyens. À cet égard, il n'a pu que se réjouir de la plutôt bonne tenue du scrutin législatif de novembre 2007, qui n'a été ni accompagné de violences ni entaché de fraudes, ce qui témoigne d'une plus grande maturité de l'électorat.

VERS UNE COMMUNAUTÉ MONDIALE[1]
PAR HINA JILANI[2]

En 2000, le secrétaire général des Nations unies a nommé un représentant spécial chargé de la protection des défenseurs pour aider à la mise en œuvre de la Déclaration sur le droit et la responsabilité des individus, groupes et organes de la société de promouvoir et protéger les droits de l'homme, ci-après la Déclaration sur les défenseurs. Hina Jilani, avocate pakistanaise déjà très active dans le domaine des droits de l'homme, a été la première nommée à ce poste. En 2008, le mandat a changé de titre, pour devenir celui de rapporteur spécial. Margaret Sekaggya, présidente de la Commission ougandaise des droits de l'homme, a été nommée à ce poste par le Conseil des droits de l'homme[3].

2008 marque le 60e anniversaire de la DUDH et les 10 ans de la Déclaration des Nations unies pour la protection des défenseurs. Elle constitue une occasion de prendre du recul et de mener une réflexion après huit ans d'un travail sans relâche. Au moment de laisser sa place et alors qu'elle salue la nomination de sa

—
1. Ce texte est basé sur un entretien réalisé par Amnesty International en juin 2008 avec Hina Jilani, juste après qu'elle a quitté son poste de représentante spéciale aux Nations unies.
2. Vous retrouverez la biographie de Hina Jilani p. 156.
3. Dans ce texte, nous utilisons donc la nouvelle dénomination de rapporteur.

successeuse avec la conviction qu'elle apportera une nouvelle vision pour mettre en œuvre la Déclaration sur les défenseurs, Hina Jilani revient sur les étapes, les enjeux et les perspectives du mandat de rapporteur spécial des Nations unies pour la protection des défenseurs.

La Déclaration adoptée en 1998 par les Nations unies reconnaît le rôle essentiel que chacun peut avoir dans la défense des droits humains. Point de départ d'une prise de conscience accrue du travail fondamental des défenseurs, elle a aussi formulé le besoin indispensable qu'ils ont d'être protégés par la communauté internationale.

UNE PROTECTION CONCRÈTE

L'existence même de la Déclaration sur les défenseurs a renouvelé la détermination de ceux qui défendent les droits humains. En insistant sur la nécessité de les protéger, elle leur a accordé davantage de dignité. Cette énergie nouvelle met l'accent sur le rôle primordial que doivent jouer les gouvernements pour garantir les droits essentiels à leur travail – liberté de s'exprimer librement, d'exprimer des opinions critiques sur les politiques des autorités, liberté de s'assembler pacifiquement, de plaider pour le changement, droit de recevoir et de diffuser l'information, droit de communiquer avec des organisations nationales et internationales... Malgré une réticence initiale, les gouvernements ont reconnu que le travail d'enquête et d'information des défenseurs sur les violations des droits de l'homme non seulement procédait de leurs obligations contenues dans les textes internationaux relatifs aux droits de l'homme, mais qu'en outre, ce travail contribuait à la réalisation des droits contenus dans ces textes.

La création en 2000 du mandat de représentant spécial pour la protection des défenseurs, désormais rapporteur spécial, doit être considérée comme un signe fort : la Déclaration pouvait, voire devait, devenir un instrument efficace et vivant de protection des défenseurs, et ce mécanisme y contribue. La Déclaration est d'ailleurs l'un des rares instruments des Nations unies qui, même s'il n'est pas juridiquement contraignant, a acquis une réelle importance et signification dix ans après son adoption. C'est aujourd'hui un des principaux outils de protection des droits de l'homme.

Placé sous l'autorité directe du secrétaire général des Nations unies, le rapporteur spécial a autorité pour mener des enquêtes sur les situations qui lui sont signalées, et apporter une réponse concrète aux problèmes de sécurité des défenseurs. Il conduit ainsi des visites de terrain, notamment dans les endroits où des allégations de violation de droits humains ont pu être signalées ; cela lui permet d'avoir une compréhension globale des contextes dans lesquels les défenseurs évoluent. Depuis 2000, la rapporteure spéciale a pu ainsi se rendre dans plus d'une dizaine de pays. Mais tous les pays n'ont pas pleinement coopéré avec elle ; vingt et un n'ont pas délivré l'invitation nécessaire à la visite, d'autres n'ont tout simplement pas répondu à ses demandes.

Ces missions d'enquête, préparées en amont avec les défenseurs et les organisations locaux, donnent lieu à des rapports. Cela peut mener à des « communications », qui prennent en général la forme d'une lettre adressée aux gouvernements. Des recommandations y sont notamment formulées pour améliorer la situation d'une personne, quand un défenseur est particulièrement en danger, ou d'une organisation donnée. Les devoirs des autorités sont également rappelés : garantir aux activités de défense des droits de l'homme des conditions de travail satisfaisantes et enquêter sur les violences avérées. Ces interventions peuvent aussi porter sur des violations qui se sont produites dans le passé ou qui risquent de se produire. Depuis 2000, la rapporteure spéciale a envoyé plus de 1 500 communications aux gouvernements. Par la suite, et si l'État concerné l'y autorise, elle peut mener des missions de suivi pour s'assurer de la mise en œuvre de ses recommandations.

Utilisée efficacement, cette procédure, qui permet d'introduire des plaintes individuelles, est un élément central du mandat de rapporteur. La prise en compte des plaintes et des situations particulières permet par ailleurs de détecter des tendances émergentes dans les dangers encourus par les défenseurs, d'établir des zones sur lesquelles être davantage vigilant. Ses rapports successifs en témoignent. L'analyse et l'expertise produites permettent de faire des recommandations mieux fondées et plus précises et participent de l'évaluation régulière des droits humains.

Ainsi, depuis dix ans, des progrès significatifs ont été accomplis pour développer des stratégies appropriées, assurer la protection de ceux qui luttent pour le respect des droits humains, leur donner une plus grande visibilité et souligner leur rôle en tant qu'acteurs déterminants au sein des sociétés dans lesquelles ils

s'impliquent. C'est sans doute une des plus importantes réalisations de la Déclaration sur les défenseurs et du mandat qui s'y rattache.

Le mandat du rapporteur, tel qu'il est défini, est très large et correspond bien aux besoins des défenseurs et aux enjeux de leur travail. Un des premiers défis a été de convaincre les États de collaborer avec le rapporteur spécial, dont les attributions pouvaient sembler trop vastes et l'approche retenue, trop globale.

De nombreux gouvernements ont progressivement reconnu le rôle crucial joué par les défenseurs et pris des engagements pour les protéger. Malgré les réticences initiales, une certaine coopération s'est en outre établie entre les gouvernements et le rapporteur spécial qui a pu conforter son rôle de protection – par ses communications, ou en donnant une visibilité à certaines situations ou à certains cas, par ses communiqués de presse ou des rapports thématiques. Les réponses des autorités ont été variées, incomplètes, parfois non concluantes, mais les informations reçues dans les mois suivants des partenaires locaux indiquaient plutôt une amélioration de la situation. Cela signifie que le poste de rapporteur a acquis suffisamment de crédibilité pour inciter les États à faire marche arrière même s'ils ne reconnaissent pas toujours les erreurs commises.

Ce travail de protection auprès des gouvernements a progressivement dépassé les frontières nationales pour aboutir au développement d'initiatives régionales. Des unités spéciales ont ainsi été instituées au sein des systèmes interétatiques régionaux de protection des droits de l'homme : unité spéciale auprès de la Cour interaméricaine des droits de l'homme, rapporteur spécial auprès de la Commission africaine des droits de l'homme et des peuples. Des textes spécifiques ont été adoptés, tels que les « orientations pour la protection des défenseurs » au sein de l'Union européenne. Autant de reconnaissances de l'importance du rôle joué par les défenseurs et du besoin de garantir et protéger leur travail. Ces étapes ont en outre permis de comprendre que le travail des défenseurs avait ses spécificités et que, si ces acteurs ne peuvent travailler dans des conditions sûres, le respect des droits humains eux-mêmes est compromis.

De bonnes relations se sont mises en place puis renforcées entre le rapporteur spécial des Nations unies et ces mécanismes régionaux ; cette coopération a permis d'intervenir à plusieurs reprises sur des cas individuels et de produire des déclarations publiques communes. Des messages forts ont ainsi pu être adressés aux gouvernements, montrant la nécessité pour les organes internationaux de faire

avancer la question de la protection des défenseurs et de soutenir le rapporteur spécial.

Par ailleurs, l'établissement d'une bonne coopération avec les ONG et la société civile, aussi bien au niveau international que régional, est également très encourageant. Parce qu'elles ont une influence et une expérience précieuses, les ONG internationales aident souvent à rendre publics des cas ou des situations spécifiques. Elles jouent un rôle de soutien et de renforcement des capacités des défenseurs : formations, présence et protection physique, pression publique, etc., sont les outils d'accompagnement au jour le jour. La plupart des grandes organisations de défense des droits humains ont développé des programmes de protection des défenseurs. Et de nouvelles organisations se sont créées pour apporter aide et soutien aux défenseurs, alerter les opinions et les pouvoir publics quand les militants sont en danger.

Aujourd'hui, les réseaux et la coopération interrégionaux doivent encore être intégrés et consolidés. Les réseaux régionaux gagneraient à développer davantage de stratégies d'action en commun, ne serait-ce que pour le travail de pression sur la communauté internationale. En effet, au-delà des particularités régionales, il y a des enjeux communs, comme celui de parvenir à établir une réelle culture de respect des droits humains qui n'existera pas sans le respect du travail et de la valeur des défenseurs.

DE L'INTERNATIONAL AU LOCAL

Les risques que courent les défenseurs sont réels. Malgré les indéniables progrès, trop de militants continuent de subir harcèlement, intimidation ou autres abus. Dans la majorité des régions du monde, ils sont toujours menacés. Dans certains pays, la répression s'aggrave. Cette situation est extrêmement préoccupante. Les modalités et les tactiques employées pour les faire taire sont malheureusement bien connues, mais c'est leur degré et leur fréquence qui semblent avoir crû de façon inquiétante ces dernières années ; les meurtres et les disparitions ont ainsi très significativement augmenté. Et cette analyse ne porte que sur les cas et situations qui ont pu être portés à la connaissance du rapporteur spécial, ce qui présage d'une situation plus difficile encore. Tout cela laisse un sentiment mitigé après

huit ans de mandat. La communauté et les organes internationaux devraient s'y attaquer très sérieusement.

Quel que soit l'impact que les communications du rapporteur spécial sur des cas ou des situations aient pu avoir sur les gouvernements, ils n'ont reculé que de façon marginale. Malgré une amélioration notable de certaines situations, malgré des efforts constants pour instaurer des mesures de suivi et encourager, faciliter et surveiller la mise en œuvre des recommandations faites dans le cadre du mandat, beaucoup reste à faire.

Le fait que la Déclaration sur les défenseurs ait permis de mettre l'accent sur les problèmes de sécurité rencontrés par les défenseurs devrait néanmoins à plus ou moins long terme conduire au renforcement de l'efficacité des mécanismes de protection aux niveaux régional et international. Le défi actuel est sans doute de traduire localement les principes adoptés au niveau international. La diffusion et une «exploitation» optimale de la Déclaration sur les défenseurs sont en cela essentielles. Pour autant, ces garanties ne remplaceront pas l'indispensable connaissance qu'ont les défenseurs des meilleurs moyens de se protéger eux-mêmes.

Mais de nouveaux enjeux apparaissent. En effet, les droits humains ne sont pas une notion statique, mais en constante évolution. Depuis que de nouvelles menaces ont émergé, les défenseurs ont su développer de nouvelles façons de faire face à l'injustice, en continuant à veiller à leur sécurité. Une des responsabilités du rapporteur spécial est d'être attentif à ces nouveaux courants et d'accroître la légitimité de ces nouveaux militants, notamment à l'international.

La panoplie d'outils à la disposition de la rapporteure spéciale renforce sa capacité à saisir et se saisir de ces nouvelles frontières et de ces nouveaux enjeux. À travers ses communications et ses rapports thématiques, qui traitent de la défense des droits économiques, sociaux et culturels, ou les recommandations spécifiques pour les femmes défenseurs, elle participe aussi de l'animation du mouvement des droits humains.

Le rôle du rapporteur spécial est alors d'intégrer leur travail et les défis qu'ils rencontrent et de souligner le rôle de ces leaders qui, souvent, est décisif pour la jouissance et la reconnaissance de tous les droits de leur communauté.

Les défenseurs qui se battent pour le respect et la mise en œuvre de droits similaires s'unissent de plus en plus pour agir collectivement. Le développement de réseaux reste assez récent mais il ne cesse de croître, et la Déclaration de 1998

a eu un effet déclencheur sur la mobilisation internationale. Le rapporteur a pu jouer un rôle déterminant dans leur établissement et en permettre la coordination.

Les réseaux ont notablement gagné en efficacité, en pertinence et en influence. Ils incarnent cette formidable énergie qui anime chacun des défenseurs ; ils peuvent alors mutualiser leur travail, se former, se renforcer. Le travail en réseau est pour certains une véritable solution à l'isolement. Il permet de mieux appréhender les situations locales ou nationales, voire de dégager des tendances régionales. L'information circule plus rapidement, vers davantage de personnes ; c'est aussi la mobilisation qui est renforcée. Les réseaux permettent d'établir le caractère récurrent de certaines violations et de trouver des solutions à des problèmes communs. Ils contribuent à améliorer le travail de pression et à renforcer les capacités de leurs membres. La coalition mondiale des femmes défenseurs en est un bon exemple ; elle a su transcender les frontières nationales pour profiter des expériences mutuelles.

Une autre tendance émergente, et très encourageante, concerne la collaboration entre le mouvement social et celui des défenseurs. Cette interaction entraîne un soutien et une éducation réciproques. Les mouvements qui réclament plus de justice sociale, les spécialistes du développement ont de plus en plus recours aux outils propres à la défense des droits humains dans la sphère des politiques sociales et économiques. Ils collaborent de plus en plus avec les défenseurs des Desc, les universitaires, les travailleurs sociaux et les professionnels de la santé, de l'éducation et du logement. Ensemble, ils envisagent et développent de nouveaux outils et méthodologies pour prendre en compte et évaluer les violations de ces droits et préconiser des réponses qui intègrent toutes les dimensions de ces problèmes. Ce type de collaboration brise l'isolement dans lequel les mouvements sociaux ou des droits humains sont trop longtemps restés. Cette tendance lourde a entraîné le développement de nouvelles règles de travail et d'engagement qui pourraient être vite couronnées de succès.

Il est toujours indispensable d'approfondir, de poursuivre ces avancées et ces chantiers. Le passage du mandat à un nouveau rapporteur en 2008 marque la fin d'une période qui a vu la mise en place de ce mécanisme. Les enjeux et perspectives sont clairs.

La Déclaration sur les défenseurs des droits de l'homme de 1998, en écho à la Déclaration universelle des droits de l'homme de 1948, aborde très précisément les entraves à la réalisation des droits humains, de tous les droits humains. Depuis

son adoption, la forte mobilisation d'individus, de groupes et de la société civile a instauré une plus grande compréhension de ces droits, insistant sur leur universalité et leur indivisibilité.

Cette vision émergente a pu entraîner de nouveaux risques. Mais les défenseurs ne cessent d'imaginer des moyens d'accroître leur propre sécurité et concourent ainsi à une mise en œuvre effective de tous les droits humains, pour tous.

À l'heure du passage de témoin à Margaret Sekaggya, le maintien du mandat dans ses attributions originales en dépit de discussions liées à la réforme de la Commission pour les droits de l'homme – son évolution en Conseil – est un indicateur fort que le travail entrepris auprès des défenseurs doit se poursuivre. Certains États ont notamment voulu modifier, voire supprimer, sans aucun argument sérieux, la procédure de plainte. Ce qui aurait inévitablement mené à affaiblir l'autorité du rapporteur. Si cela avait abouti, certaines propositions auraient conduit à concentrer le mandat sur l'observation de situations générales au détriment de l'intervention en faveur des personnes, le privant ainsi de son outil le plus précieux. Le soutien de la majorité des États au poste de rapporteur tel qu'il existe depuis sa mise en place est notable et témoigne d'un encouragement réel au caractère global de sa mission.

ANNEXES

LE TEXTE DE LA DÉCLARATION SUR LES DÉFENSEURS DES DROITS DE L'HOMME

Adopté le 9 décembre 1998 par l'assemblée générale des Nations unies.

Déclaration sur le droit et la responsabilité des individus, groupes et organes de la société de promouvoir et protéger les droits de l'homme et les libertés fondamentales universellement reconnus

1) Résolution de l'assemblée générale des Nations unies 53/144

L'assemblée générale,

Réaffirmant l'importance que revêt la réalisation des buts et principes énoncés dans la Charte des Nations unies pour la promotion et la protection de tous les droits de l'homme et de toutes les libertés fondamentales pour tous, dans tous les pays du monde,

Prenant note de la résolution 1998/7 de la Commission des droits de l'homme, en date du 3 avril 1998 (voir *Documents officiels du Conseil économique et social, 1998, Supplément n° 3* [E/1998/23], chap. II, sect. A.), dans laquelle la Commission a approuvé le texte du projet de Déclaration sur le droit et la responsabilité

des individus, groupes et organes de la société de promouvoir et protéger les droits de l'homme et les libertés fondamentales universellement reconnus,

Prenant note également de la résolution 1998/33 du Conseil économique et social, en date du 30 juillet 1998, dans laquelle le Conseil a recommandé à l'assemblée générale d'adopter le projet de Déclaration,

Consciente de l'importance que revêt l'adoption du projet de Déclaration dans le contexte du cinquantenaire de la Déclaration universelle des droits de l'homme (résolution 217 A (III)),

1. Adopte la Déclaration sur le droit et la responsabilité des individus, groupes et organes de la société de promouvoir et protéger les droits de l'homme et les libertés fondamentales universellement reconnus qui figure en annexe à la présente résolution;

2. Invite les gouvernements, les organes et organismes des Nations unies et les organisations intergouvernementales et non gouvernementales à intensifier leurs efforts en vue de diffuser la Déclaration et d'en promouvoir le respect et la compréhension sur une base universelle, et prie le secrétaire général de faire figurer le texte de la Déclaration dans la prochaine édition de la publication *Droits de l'homme. Recueil d'instruments internationaux.*

85ᵉ séance plénière

9 décembre 1998

2) Annexe

L'assemblée générale,

Réaffirmant l'importance que revêt la réalisation des buts et principes énoncés dans la Charte des Nations unies pour la promotion et la protection de tous les droits de l'homme et de toutes les libertés fondamentales pour tous, dans tous les pays du monde,

Réaffirmant également l'importance de la Déclaration universelle des droits de l'homme et des pactes internationaux relatifs aux droits de l'homme (résolution 2200 A (XXI) – annexe) en tant qu'éléments fondamentaux des efforts

internationaux visant à promouvoir le respect universel et effectif des droits de l'homme et des libertés fondamentales, ainsi que l'importance des autres instruments relatifs aux droits de l'homme adoptés par les organes et organismes des Nations unies, et de ceux adoptés au niveau régional,

Soulignant que tous les membres de la communauté internationale doivent remplir, conjointement et séparément, leur obligation solennelle de promouvoir et encourager le respect des droits de l'homme et des libertés fondamentales pour tous, sans distinction aucune, notamment sans distinction fondée sur la race, la couleur, le sexe, la langue, la religion, l'opinion, politique ou autre, l'origine nationale ou sociale, la fortune, la naissance ou toute autre situation, et réaffirmant qu'il importe en particulier de coopérer à l'échelle internationale pour remplir cette obligation conformément à la Charte,

Reconnaissant le rôle important que joue la coopération internationale et la précieuse contribution qu'apportent les individus, groupes et associations à l'élimination effective de toutes les violations des droits de l'homme et des libertés fondamentales des peuples et des personnes, notamment des violations massives, flagrantes ou systématiques telles que celles qui résultent de l'apartheid, de toutes les formes de discrimination raciale, du colonialisme, de la domination ou de l'occupation étrangère, de l'agression ou des menaces contre la souveraineté nationale, l'unité nationale ou l'intégrité territoriale, ainsi que du refus de reconnaître le droit des peuples à l'autodétermination et le droit de chaque peuple d'exercer sa souveraineté pleine et entière sur ses richesses et ses ressources naturelles,

Considérant les liens qui existent entre la paix et la sécurité internationales, d'une part, et la jouissance des droits de l'homme et des libertés fondamentales, d'autre part, et consciente du fait que l'absence de paix et de sécurité internationales n'excuse pas le non-respect de ces droits et libertés,

Réaffirmant que tous les droits de l'homme et toutes les libertés fondamentales sont universels, indivisibles, interdépendants et indissociables, et qu'il faut les promouvoir et les rendre effectifs en toute équité, sans préjudice de leur mise en œuvre individuelle,

Soulignant que c'est à l'État qu'incombent la responsabilité première et le devoir de promouvoir et protéger les droits de l'homme et les libertés fondamentales,

Reconnaissant que les individus, groupes et associations ont le droit et la responsabilité de promouvoir le respect des droits de l'homme et des libertés fondamentales et de les faire connaître aux niveaux national et international,

Déclare :

ARTICLE PREMIER

Chacun a le droit, individuellement ou en association avec d'autres, de promouvoir la protection et la réalisation des droits de l'homme et des libertés fondamentales aux niveaux national et international.

ARTICLE 2

1. Chaque État a, au premier chef, la responsabilité et le devoir de protéger, promouvoir et rendre effectifs tous les droits de l'homme et toutes les libertés fondamentales, notamment en adoptant les mesures nécessaires pour instaurer les conditions sociales, économiques, politiques et autres ainsi que les garanties juridiques voulues pour que toutes les personnes relevant de sa juridiction puissent, individuellement ou en association avec d'autres, jouir en pratique de tous ces droits et de toutes ces libertés.

2. Chaque État adopte les mesures législatives, administratives et autres nécessaires pour assurer la garantie effective des droits et libertés visés par la présente Déclaration.

ARTICLE 3

Les dispositions du droit interne qui sont conformes à la Charte des Nations unies et aux autres obligations internationales de l'État dans le domaine des droits de l'homme et des libertés fondamentales servent de cadre juridique pour la mise

en œuvre et l'exercice des droits de l'homme et des libertés fondamentales ainsi que pour toutes les activités visées dans la présente Déclaration qui ont pour objet la promotion, la protection et la réalisation effective de ces droits et libertés.

ARTICLE 4

Aucune disposition de la présente Déclaration ne peut être interprétée comme portant atteinte aux buts et principes énoncés dans la Charte des Nations unies ou allant à leur encontre, ni comme apportant des restrictions aux dispositions de la Déclaration universelle des droits de l'homme, des pactes internationaux relatifs aux droits de l'homme et des autres instruments et engagements internationaux applicables dans ce domaine, ou y dérogeant.

ARTICLE 5

Afin de promouvoir et protéger les droits de l'homme et les libertés fondamentales, chacun a le droit, individuellement ou en association avec d'autres, aux niveaux national et international :

a) De se réunir et de se rassembler pacifiquement ;

b) De former des organisations, associations ou groupes non gouvernementaux, de s'y affilier et d'y participer ;

c) De communiquer avec des organisations non gouvernementales ou intergouvernementales.

ARTICLE 6

Chacun a le droit, individuellement ou en association avec d'autres :

a) De détenir, rechercher, obtenir, recevoir et conserver des informations sur tous les droits de l'homme et toutes les libertés fondamentales en ayant notamment accès à l'information quant à la manière dont il est donné effet à ces droits et libertés dans le système législatif, judiciaire ou administratif national ;

b) Conformément aux instruments internationaux relatifs aux droits de l'homme et autres instruments internationaux applicables, de publier, communiquer à autrui ou diffuser librement des idées, informations et connaissances sur tous les droits de l'homme et toutes les libertés fondamentales ;

c) D'étudier, discuter, apprécier et évaluer le respect, tant en droit qu'en pratique, de tous les droits de l'homme et de toutes les libertés fondamentales et, par ces moyens et autres moyens appropriés, d'appeler l'attention du public sur la question.

Article 7

Chacun a le droit, individuellement ou en association avec d'autres, d'élaborer de nouveaux principes et idées dans le domaine des droits de l'homme, d'en discuter et d'en promouvoir la reconnaissance.

Article 8

1. Chacun a le droit, individuellement ou en association avec d'autres, de participer effectivement, sur une base non discriminatoire, au gouvernement de son pays et à la direction des affaires publiques.

2. Ce droit comporte notamment le droit, individuellement ou en association avec d'autres, de soumettre aux organes et institutions de l'État, ainsi qu'aux organismes s'occupant des affaires publiques, des critiques et propositions touchant l'amélioration de leur fonctionnement, et de signaler tout aspect de leur travail qui risque d'entraver ou empêcher la promotion, la protection et la réalisation des droits de l'homme et des libertés fondamentales.

Article 9

1. Dans l'exercice des droits de l'homme et des libertés fondamentales, y compris le droit de promouvoir et protéger les droits de l'homme visés dans la présente Déclaration, chacun a le droit, individuellement ou en association avec

d'autres, de disposer d'un recours effectif et de bénéficier d'une protection en cas de violation de ces droits.

2. À cette fin, toute personne dont les droits ou libertés auraient été violés a le droit, en personne ou par l'entremise d'un représentant autorisé par la loi, de porter plainte et de faire examiner rapidement sa plainte en audience publique par une autorité judiciaire ou toute autre autorité instituée par la loi qui soit indépendante, impartiale et compétente, et d'obtenir de cette autorité une décision, prise conformément à la loi, lui accordant réparation, y compris une indemnisation, lorsque ses droits ou libertés ont été violés, ainsi que l'application de la décision et du jugement éventuel, le tout sans retard excessif.

3. À cette même fin, chacun a le droit, individuellement ou en association avec d'autres, notamment :

a) De se plaindre de la politique et de l'action de fonctionnaires et d'organes de l'État qui auraient commis des violations des droits de l'homme et des libertés fondamentales, au moyen de pétitions ou autres moyens appropriés, auprès des autorités judiciaires, administratives ou législatives nationales compétentes ou de toute autre autorité compétente instituée conformément au système juridique de l'État, qui doit rendre sa décision sans retard excessif ;

b) D'assister aux audiences, procédures et procès publics afin de se faire une opinion sur leur conformité avec la législation nationale et les obligations et engagements internationaux applicables ;

c) D'offrir et prêter une assistance juridique professionnelle qualifiée ou tout autre conseil et appui pertinents pour la défense des droits de l'homme et des libertés fondamentales.

4. À cette même fin et conformément aux procédures et instruments internationaux applicables, chacun a le droit, individuellement ou en association avec d'autres, de s'adresser sans restriction aux organes internationaux compétents de manière générale ou spéciale pour recevoir et examiner des communications relatives aux droits de l'homme, et de communiquer librement avec ces organes.

5. L'État doit mener une enquête rapide et impartiale ou veiller à ce qu'une procédure d'instruction soit engagée lorsqu'il existe des raisons de croire qu'une

violation des droits de l'homme et des libertés fondamentales s'est produite dans un territoire relevant de sa juridiction.

ARTICLE 10

Nul ne doit participer à la violation des droits de l'homme et des libertés fondamentales en agissant ou en s'abstenant d'agir quand les circonstances l'exigent, et nul ne peut être châtié ou inquiété pour avoir refusé de porter atteinte à ces droits et libertés.

ARTICLE 11

Chacun a le droit, individuellement ou en association avec d'autres, d'exercer son occupation ou sa profession conformément à la loi. Quiconque risque, de par sa profession ou son occupation, de porter atteinte à la dignité de la personne humaine, aux droits de l'homme et aux libertés fondamentales d'autrui doit respecter ces droits et libertés et se conformer aux normes nationales ou internationales pertinentes de conduite ou d'éthique professionnelle.

ARTICLE 12

1. Chacun a le droit, individuellement ou en association avec d'autres, de participer à des activités pacifiques pour lutter contre les violations des droits de l'homme et des libertés fondamentales.

2. L'État prend toutes les mesures nécessaires pour assurer que les autorités compétentes protègent toute personne, individuellement ou en association avec d'autres, de toute violence, menace, représailles, discrimination *de facto* ou *de jure*, pression ou autre action arbitraire dans le cadre de l'exercice légitime des droits visés dans la présente Déclaration.

3. À cet égard, chacun a le droit, individuellement ou en association avec d'autres, d'être efficacement protégé par la législation nationale quand il réagit par des moyens pacifiques contre des activités et actes, y compris ceux résultant

d'omissions, imputables à l'État et ayant entraîné des violations des droits de l'homme et des libertés fondamentales, ainsi que contre des actes de violence perpétrés par des groupes ou individus qui entravent l'exercice des droits de l'homme et des libertés fondamentales.

ARTICLE 13

Chacun a le droit, individuellement ou en association avec d'autres, de solliciter, recevoir et utiliser des ressources dans le but exprès de promouvoir et protéger les droits de l'homme et les libertés fondamentales par des moyens pacifiques, conformément à l'article 3 de la présente Déclaration.

ARTICLE 14

1. Il incombe à l'État de prendre les mesures appropriées sur les plans législatif, judiciaire, administratif ou autre en vue de mieux faire prendre conscience à toutes les personnes relevant de sa juridiction de leurs droits civils, politiques, économiques, sociaux et culturels.

2. Ces mesures doivent comprendre, notamment :

a) La publication et la large disponibilité des textes de lois et règlements nationaux et des instruments internationaux fondamentaux relatifs aux droits de l'homme ;

b) Le plein accès dans des conditions d'égalité aux documents internationaux dans le domaine des droits de l'homme, y compris les rapports périodiques présentés par l'État aux organes créés en vertu d'instruments internationaux relatifs aux droits de l'homme auxquels il est partie, ainsi que les comptes rendus analytiques de l'examen des rapports et les rapports officiels de ces organes.

3. L'État encourage et appuie, lorsqu'il convient, la création et le développement d'autres institutions nationales indépendantes pour la promotion et la protection des droits de l'homme et des libertés fondamentales dans tout territoire relevant de sa juridiction, qu'il s'agisse d'un médiateur, d'une commission des droits de l'homme ou de tout autre type d'institution nationale.

ARTICLE 15

Il incombe à l'État de promouvoir et faciliter l'enseignement des droits de l'homme et des libertés fondamentales à tous les niveaux de l'enseignement et de s'assurer que tous ceux qui sont chargés de la formation des avocats, des responsables de l'application des lois, du personnel des forces armées et des agents de la fonction publique incluent dans leurs programmes de formation des éléments appropriés de l'enseignement des droits de l'homme.

ARTICLE 16

Les individus, organisations non gouvernementales et institutions compétentes ont un rôle important à jouer pour ce qui est de sensibiliser davantage le public aux questions relatives à tous les droits de l'homme et à toutes les libertés fondamentales, en particulier dans le cadre d'activités d'éducation, de formation et de recherche dans ces domaines en vue de renforcer encore, notamment, la compréhension, la tolérance, la paix et les relations amicales entre les nations ainsi qu'entre tous les groupes raciaux et religieux, en tenant compte de la diversité des sociétés et des communautés dans lesquelles ils mènent leurs activités.

ARTICLE 17

Dans l'exercice des droits et libertés visés dans la présente Déclaration, chacun, agissant individuellement ou en association avec d'autres, n'est soumis qu'aux limitations fixées conformément aux obligations internationales existantes et établies par la loi exclusivement en vue d'assurer la reconnaissance et le respect des droits et libertés d'autrui et afin de satisfaire aux justes exigences de la morale, de l'ordre public et du bien-être général dans une société démocratique.

ARTICLE 18

1. Chacun a des devoirs envers la communauté et au sein de celle-ci, seul cadre permettant le libre et plein épanouissement de sa personnalité.

2. Les individus, groupes, institutions et organisations non gouvernementales ont un rôle important à jouer et une responsabilité à assumer en ce qui concerne la sauvegarde de la démocratie, la promotion des droits de l'homme et des libertés fondamentales ainsi que la promotion et le progrès de sociétés, institutions et processus démocratiques.

3. Les individus, groupes, institutions et organisations non gouvernementales ont également un rôle important à jouer et une responsabilité à assumer pour ce qui est de contribuer, selon qu'il convient, à la promotion du droit de chacun à un ordre social et international grâce auquel les droits et libertés énoncés dans la Déclaration universelle des droits de l'homme et les autres instruments relatifs aux droits de l'homme peuvent être réalisés dans leur intégralité.

ARTICLE 19

Aucune disposition de la présente Déclaration ne peut être interprétée comme impliquant pour un individu, groupe ou organe de la société, ou pour un État, le droit de se livrer à une activité ou d'accomplir un acte visant à détruire des droits et libertés visés dans la présente Déclaration.

ARTICLE 20

Aucune disposition de la présente Déclaration ne peut être interprétée comme autorisant les États à soutenir ou encourager les activités d'individus, groupes, institutions ou organisations non gouvernementales allant à l'encontre des dispositions de la Charte des Nations unies.

RESSOURCES.
POUR ALLER PLUS LOIN

Pour toute information relative aux textes, procédures et mécanismes des Nations unies, voir le site du **Haut-Commissariat des Nations unies pour les droits de l'homme** : www.ohchr.org

PRINCIPALES ONG DISPOSANT DE PROGRAMMES SPÉCIFIQUES SUR LES DÉFENSEURS DES DROITS DE L'HOMME

L'Observatoire pour la protection des défenseurs des droits de l'homme, programme conjoint de la FIDH (Fédération internationale des droits de l'homme) et de l'OMCT (Organisation mondiale contre la torture)
La FIDH a créé l'Observatoire pour la protection des défenseurs des droits de l'homme en 1997, en partenariat avec l'OMCT. L'objectif de ce programme est double : intervenir pour prévenir ou remédier à des situations précises de répression contre les défenseurs des droits de l'homme d'une part, et contribuer à la mobilisation internationale en faveur de la reconnaissance de leur rôle et de leur nécessaire protection aux niveaux régional et international d'autre part. L'action de ce programme est fondée sur la conviction que renforcer la coopération et la solidarité à l'égard des défenseurs et de leur organisation contribue à briser l'isolement dans lequel ils se trouvent et à renforcer leur protection et leur sécurité.
• www.fidh.org et/ou www.omct.org

Fondation Front Line pour la protection des défenseurs des droits de l'homme
Créée en 2001 par l'homme d'affaires irlandais Denis O'Brien sous l'impulsion de Mary Lawlor, directrice d'Amnesty International, Front Line fournit un soutien rapide et pratique aux défenseurs en situation de danger, notamment grâce à une ligne téléphonique d'urgence qui fonctionne vingt-quatre heures sur vingt-quatre, et vise à promouvoir la visibilité et la reconnaissance des défenseurs des droits humains en tant que groupe vulnérable.

Front Line s'est rapidement développée avec l'aide de Pierre Sané et de Michel Forst. La fondation compte aujourd'hui parmi les plus actives pour la protection des défenseurs.

Front Line a un programme de subventions dédié aux besoins de sécurité des défenseurs et mobilise ses efforts pour faire campagne et exercer des pressions en faveur des défenseurs en danger immédiat. Front Line peut faciliter les déplacements temporaires dans les situations d'urgence.

Front Line mène des recherches et publie des rapports sur la situation des défenseurs des droits humains dans des pays spécifiques. Elle développe également des outils techniques et des programmes de formation pour les défenseurs des droits humains, et facilite la mise en réseau et les échanges entre les défenseurs dans différentes parties du monde. Elle promeut le renforcement des mesures internationales et régionales de protection des défenseurs des droits humains, y compris en soutenant le travail du rapporteur spécial pour les défenseurs des droits humains.
- www.frontlinedefenders.org

Peace Brigades International (PBI, « Brigades de paix internationales ») est une ONG indépendante, impartiale, associée avec le département de l'Information publique des Nations unies. PBI travaille depuis vingt-cinq ans à la protection des droits humains et à la promotion de la non-violence. À la demande des associations de défense des droits humains, PBI envoie des équipes de volontaires sur les zones de conflit pour offrir un accompagnement protecteur aux membres de ces associations menacés par la violence politique, dans leur vie et dans leurs activités. Outre son travail d'accompagnement, PBI propose aussi avec des organisations locales, des formations d'éducation à la paix et de travail psychosocial pour renforcer la capacité des participants à résoudre les conflits.
- www.peacebrigades.org (site international en anglais) et www.pbi-france.org

ProtectionLine

Site Internet dédié aux défenseurs, ProtectionLine est une initiative de Protection International, émanant du bureau européen de Peace Brigades International bureau européen (PBI BEO) dans le cadre de son programme de protection des défenseurs des droits humains. ProtectionLine a été élaboré grâce à l'interaction de défenseurs des droits humains asiatiques, américains et africains, de l'expérience sur le terrain de PBI au cours des vingt-cinq dernières années et de l'engagement de centaines de volontaires et bénévoles tant sur le terrain que dans les sections de PBI à travers le monde. Ce site a pour vocation de favoriser l'échange d'informations et d'expériences entre les défenseurs des droits humains et, surtout, de susciter l'engagement et l'action solidaire d'un maximum d'acteurs sociaux en faveur de celles et ceux qui protègent des abus de pouvoir.

- www.protectionline.org

Service international des droits de l'homme

Le SIDH est avant tout une organisation de service qui cherche à promouvoir le développement, le renforcement, l'utilisation effective et la réelle application du droit et des mécanismes internationaux et régionaux pour la protection et la promotion des droits de l'homme. Créé en 1984 par les membres de différentes ONG à Genève, le SIDH a des activités multiples : établissement de rapports analytiques sur les mécanismes des Nations unies relatifs aux droits de l'homme ; formations sur l'utilisation des normes et procédures internationales ; conseils stratégiques pour un travail de pression efficace ; contributions à l'activité normative ; informations pratiques et soutien logistique pour permettre aux défenseurs des droits humains du monde entier de tirer parti du droit international des droits de l'homme et des procédures en la matière.

- www.ishr.ch

NOTICES BIOGRAPHIQUES

Christian Courrèges

Né en 1950 à Aix-en-Provence, Christian Courrèges vit et travaille à Paris. Il poursuit un travail sur la figure humaine, le portrait. Il déjoue les lieux communs imposés par le genre, en se consacrant depuis des années à quelques séries ou galeries de portraits qu'il explore en profondeur avec des dispositifs techniques et des règles strictes qu'il impose à ses modèles.

Stéphane Hessel

Résistant pendant la Seconde Guerre mondiale, Stéphane Hessel rejoint le général de Gaulle en 1941, avant d'être déporté à Buchenwald et à Dora. Il participe à la rédaction de la Déclaration universelle des droits de l'homme en 1948. En 1962, il crée l'Aftam (Association de formation des travailleurs africains et malgaches), dont il devient président. Il est aujourd'hui membre du comité de parrainage de la Coordination française pour la Décennie de la culture de non-violence et de paix. Il soutient, depuis sa création en 2001, le fonds associatif Non-Violence XXI. Stéphane Hessel compte également parmi les membres fondateurs du Collegium international éthique, politique et scientifique.

Michel Forst

Michel Forst est actuellement secrétaire général de la Commission nationale consultative des droits de l'homme de la République française (CNCDH). Directeur général d'Amnesty International de 1989 à 1999, puis secrétaire général du Sommet de Paris sur les défenseurs des droits humains en 1998, il a travaillé dans plusieurs organisations non gouvernementales, ainsi qu'à l'Unesco à Paris. Il est membre du conseil du Service international pour les droits de l'homme (Genève) et l'un des fondateurs de Front Line (Dublin). Il a été nommé rapporteur des Nations unies sur la situation des droits de l'homme à Haïti en juin 2008.

Hina Jilani

Avocate à la Cour suprême du Pakistan, investie dans de nombreuses affaires constitutionnelles, Hina Jilani a participé à l'établissement de standards des droits humains au Pakistan, et notamment ceux des femmes. En 1980, elle crée avec sa sœur Asma Jahangir (rapporteure spéciale des Nations unies sur la liberté de religion et de conviction depuis 2004) le premier cabinet d'avocats et d'aide juridique gratuit entièrement féminin qui défend la cause des femmes (AGHS Legal Aid Cell). Elle est également l'une des fondatrices de la Commission nationale pakistanaise des droits de l'homme – association apolitique et indépendante, créée en 1987. Cette association a rendu incontournable la question des droits humains au Pakistan. À l'international, Hina Jilani a pu contribuer à de nombreuses missions et groupes de travail des Nations unies (au Darfour, conférences internationales de Pékin sur les droits des femmes, de Vienne sur les droits humains...) ou de coalitions internationales (sur la Cour pénale internationale par exemple)... Elle est membre des conseils d'administration de nombreuses organisations internationales dont Front Line, l'International Council for Human Rights Policy à Genève ou encore Penal Reform International.

REMERCIEMENTS

Nous remercions l'ensemble des personnes qui, par leurs conseils, leurs relectures, ont contribué à cet ouvrage et, en particulier, Pauline Dionisi, Carmen Gordon-Nogales, Nicolas Krameyer, Anne Veevaert, Hassina Giraud, Christian Courrèges, Jacqueline Follana, Michel Forst, Hina Jilani, Stéphane Hessel, Jean-Jacques Perrin et Geneviève Garrigos.